TRAPPED IN A VIDEO GAME

勇敢者游戏

② 隐形人危机

〔美〕达斯廷·布雷迪◎著

〔美〕杰西·布雷迪◎绘   石若琳◎译

北京科学技术出版社

100层童书馆

TRAPPED IN A VIDEO GAME (BOOK 2): THE INVISIBLE INVASION by DUSTIN BRADY AND JESSE BRADY
Copyright © 2018 Dustin Brady
Cover art and design by Jesse Brady
This edition arranged with ANDREWS MCMEEL PUBLISHING
through BIG APPLE AGENCY, INC., LABUAN, MALAYSIA.
Simplified Chinese edition copyright:
2024 Beijing Science and Technology Publishing Co., Ltd.
All rights reserved.

著作权合同登记号　图字：01-2024-1556

图书在版编目（CIP）数据

勇敢者游戏 . 2, 隐形人危机 / (美) 达斯廷·布雷迪著 ; (美) 杰西·布雷迪绘 ; 石若琳译 . —北京 : 北京科学技术出版社，2024.5(2024.9 重印)

书名原文 : Trapped in a Video Game : The Invisible Invasion

ISBN 978-7-5714-3654-4

Ⅰ . ①勇… 　Ⅱ . ①达… ②杰… ③石… 　Ⅲ . ①儿童故事—作品集—美国—现代　Ⅳ . ① I712.85

中国国家版本馆 CIP 数据核字 (2024) 第 028254 号

策划编辑：徐乙宁	邮政编码：100035
责任编辑：张　芳	电　话：0086-10-66135495（总编室）
责任校对：贾　荣	0086-10-66113227（发行部）
营销编辑：侯　楠	网　址：www.bkydw.cn
图文制作：天露霖文化	印　刷：三河市华骏印务包装有限公司
封面设计：包芡莹	开　本：880 mm×1230 mm　1/32
责任印制：吕　越	字　数：77千字
出 版 人：曾庆宇	印　张：5
出版发行：北京科学技术出版社	版　次：2024年5月第1版
社　　址：北京西直门南大街16号	印　次：2024年9月第2次印刷
ISBN 978-7-5714-3654-4	

定　价：32.00元

目 录

01
隐形人

你昨天晚上过得怎么样？睡得好吗？怎么，不想分享一下吗？

你知道我昨晚是怎么熬过来的吗？我一直在和一名中士聊天。不过，他可不是真的中士，他和我聊天也不是想鼓动我入伍（我才十岁，还没到当兵的年龄）。而且，那名中士只有十五厘米高，还是塑料做的。

我可不是那种没事喜欢和玩具说话的人——我的大脑清醒得很，那么做只是迫不得已。是他先跟我说话的。事实上，我和那名中士认识。我们是在《火力全开》游戏里认识的，在那里面他还是名有血有肉的中士，而不是我床头的玩具。事情得从两周前说起，我和我的朋友埃里克·康拉德被困在了这个游戏里。我们背着飞行器到处飞，看到自由女神像像火箭一样发射出去。我们还差点儿被游戏里的面具怪困在游戏世界里。那个面具怪总是用阴森低沉的声音叫我们的名字，我现在想起来还毛骨悚然。这件事说来话长，建议你有时间一定要看看我们之前的故事。

总而言之，在《火力全开》游戏的世界里我们见到了马克·惠特曼——他是我们班的同学，也被困在了这里。是马克为我们打掩护，我和埃里克才逃了出来，但是，马克还被困在游戏世界里。现在，那名中士突然开口说话了，要我回去把马克救出来，而且必须"马上行动"。

我当然愿意把马克救回来，哪怕困难重重也在所不辞。因此，当中士问我"你确定吗？"的时候，我毫不犹豫地告诉他："我确定！马上出发！"可是我表了态，他却没有任何反应了。我盯着他看了一会儿，思考着他要怎么带我回去——我不确定是不是要敲一敲他的脚后跟，万一那里有机关什么的；或者打开衣橱，看看有没有传送门。但是，中士一动不动，又变成了玩具，完全没了反应。我突然感觉自己有点儿冒傻气。

"嘿，我说了'我确定！'。"我不禁捅了捅中士，他还是和其他冷冰冰的玩具士兵一样，没有任何表情。"我是不是该按个按钮什么的？"想到这儿，我赶紧把中士拿起来，反复检查。但是，我没看到任何机关。

你可能会觉得我在说梦话，这一切都像是梦里才会发生的事情。这么说不无道理，但是别忘了一个重要的细节：我是做着噩梦被巴格其勒吓醒的。从一个梦中惊醒，又到了另一个梦里，怎么会有这种事呢？你肯定没有这样过吧。现实生活中也绝对不可能有这种事——这种情节恐怕只会出现在电影中。但是，我不是在拍电影啊，那名中士真的和我说话了，不是我胡思乱想。

在接下来的几分钟里，我不停地和手里的小玩具说话，翻来覆去从他身上找机关，试图再次和他沟通。屡次尝试无果后，我又从床上爬起来，把自己的卧室翻了个遍，所有可能藏传送门的地方（电视机、卫生间、衣橱等）我都找了，可我还是回不到电子游戏的世界里。一无所获的我只能悻悻地爬回床上，辗转反侧。我的思绪还沉浸在刚才的对话中。这一切肯定都是真的，想着想着，我好像又睡着了。

"杰西！快下来吃早饭！"

我猛地睁开眼，阳光透过窗户洒了进来，又是一个周一的早晨。

"杰西！快点儿！"妈妈的声音再次从楼下传来。

"知道了。"我咕哝道，挣扎着起床。我迈着沉重的步子，慢慢地走下楼梯，坐到了饭桌旁，等着爸爸从架子上把麦片拿下来。

"亲爱的，今天你想吃什么口味的？"爸爸问。

"给我蓝莓味的那盒。"妈妈一边说一边打包午餐。

"我想尝尝那盒新买的巧克力味的。"我说。

但是，爸爸只拿来了蓝莓味的。"我能吃巧克力味的吗？"看爸爸没有反应，我又大声重复了一遍。但他只是把蓝莓味的那盒放到桌子上，然后就去冰箱里拿自己的燕麦碗了。（"先把碗放到冰箱里冻一会儿，你会收获意想不到的美味。"爸爸总是和所有人鼓吹这种做法。但是根据实际经验，我可以很负责任地告诉你，提前把碗放到冰箱里冷冻，只会让倒进去的牛奶变得冰凉，凉得你牙疼。）

我叹了口气，伸手去拿那盒蓝莓味的麦片。这种有机健康食品的味道糟透了。之前他们答应我早餐可以吃巧克力味的，看来是我太天真。

"你叫杰西起床了吗？"爸爸问道，同时先我一秒拿起了麦片盒子。

我斜了他一眼，在他眼前挥了挥胳膊："嘿，老爸！我就在这儿呢。"

妈妈叹了口气："我再去叫叫他吧。"说着，她就开始上楼梯。只听她喊道："杰西！杰西·里格斯比！快下来！你要迟到了！"

我使劲挥着双手："爸爸！妈妈！我在这儿啊！"

但爸爸倒完麦片，又去倒牛奶，好像完全听不到我说话，也看不到我就在他眼前。我跳起来去抢爸爸的牛奶，想引起他的注意。但他还是没有反应，我打算把牛奶碗拿过来。但是，不管我怎么动，牛奶碗还在那儿，我的手穿过了碗。

"发生了什么事?!"我又试着去拿麦片盒子，结果和刚才一样——我只能碰到它，却不能拿起它，我的手径直从麦片盒子中穿了过去。"啊啊啊啊啊!"我惊叫着跑进卫生间，想去照照镜子，看看自己现在这副惊慌失措的样子。但是，镜子里只有我身后的浴缸，却没有我这个人。我低头看了看自己的双手，一切都是那么真实。可是当我在镜子前挥动胳膊——镜子里什么都没有。

我变成了一个隐形人。

这还不是最糟糕的。我还一头雾水的时候（隐形人能吃饭吗？需要上卫生间吗？怎么去上学呢？有没有专门的隐形人学校？），突然听到有什么人在后面哼哼。我朝镜子里看了看，只有浴缸在那里。但是，随即又传来了哼哼声。

我感觉脖子发凉，战战兢兢地转过身去，居然看到一只高大的亮蓝色大脚怪端端正正地坐在浴缸里。

02

让人摸不着头脑的
"增强现实 ①"

    我赶紧向外逃，我的双腿虽然不能成像，但是跑起来还算给力。当我穿过厨房时，我还不忘提醒一下对一切浑然不知的爸爸妈妈："有怪兽啊！就在卫生间里！

---

① 增强现实（Augmented Reality，简称 AR），是一种将真实世界和虚拟世界融合的新技术。——译者注

千万不能进去啊！"但是，我的妈妈还在打包午餐，爸爸也若无其事地吃着自己的凉牛奶麦片。而那个亮蓝色大脚怪，还坐在我家的浴缸里！

我觉得自己必须立刻呼吸点儿新鲜空气，不然就要晕过去了。于是，我快速跑到门口，用力转门把手，当然了，这一切都是徒劳。我这双手根本没法转动眼前的门把手。无奈之下，我深吸了一口气，准备放手一搏，用身子撞门。有那么一瞬间似乎有东西挡着我，然后只听砰的一声——我居然穿过了坚硬的橡木门。

外面的世界看上去如此不真实，就像是电影《怪兽电力公司》里面的场景。只见一群巨大的紫色忍者神龟悠闲地从我家前面走过。草坪前的一棵树上，突然冒出来一只毛茸茸的斑点鸟，它的叫声尖厉刺耳。我低下头，有一个大毛球正围着我的鞋子打转，它大概有足球那么大，似乎特别喜欢我的鞋带。我动了动脚，那个毛球见状想跑，匆忙之间差点儿把自己绊倒。

这一切让我喘不上气来，哪里出问题了?! 这太不正常了！

"嘿！"

我循声望去。这一声"嘿"听起来不像是怪兽的声音，更像是人发出的声音。

"嘿！"只听有人压低嗓子喊道，"杰西，到灌木丛里来。"

我朝门前的灌木丛看去，有一部手机正对着我。我瞥见有个人在那里。这时候，那个毛球又来找鞋带的麻烦了，我把它踢到一边，大步朝灌木丛走去。

这奇怪的发型真熟悉。"格雷戈里先生？"

　　格雷戈里先生是我们班同学查理·格雷戈里的爸爸，他在专门研发电子游戏的超级生物软件公司上班，之前提到的《火力全开》游戏就是这家公司开发的。两周前，我和埃里克找过他，格雷戈里先生承诺帮我们把马克救回来，但是从那之后他就消失了。此时的他蜷缩在杜鹃花旁边，要是我妈妈看见了，肯定和他没完。

　　"怎么样？"格雷戈里先生用手机对着我，小声对我说："你没事吧？"

　　"我变成隐形的了，"我低声回答他，"感觉并不怎么样。"

　　"你不用压低声音，"他说，"没有人会听见。"

　　"这不是开玩笑吧？"我说着再次踢开了想要靠近的毛球，"等等，但是你能听见我说话，是吗？"

　　"这小东西的牙齿相当锋利，它的同伴也很暴躁。"格雷戈里先生警告我，"最好别招惹它们。"

　　我赶紧停脚。

　　"对啊，"格雷戈里先生接着说，"我当然能听到你的声音，所有玩游戏的人都能听到。"

　　"什么游戏啊？"

格雷戈里先生用不可思议的眼神看着我："《疯狂怪兽》啊。"

"嗯……好吧。"

他看上去更加疑惑了："你知道你在《疯狂怪兽》中，对吧？我以为中士都和你说清楚了。"

"我其实连你说的《疯狂怪兽》是什么都不知道。"

"你没开玩笑吧？"

"我从来不玩电子游戏。"

"可是，很多喜欢《疯狂怪兽》的人平常也不玩电子游戏啊。游戏市场可以细分为……"

"能直接告诉我这款游戏是什么样的吗？"

"这么说吧，它用到了增强现实。"听着格雷戈里先生轻松的口气，就好像所谓"增强现实"人人都懂，每天都挂在嘴边。

"听我说，"我插嘴道，"我现在真的一头雾水，我怎么就变成隐形的了，还进入了这个到处都是怪兽的世界？因此，你要是想帮我，还得考虑一下我才四年级，能不能把话说得通俗易懂点儿？"

"你只是进入了一个游戏世界。它有点儿像游戏《宝可梦 GO》，这个你总听说过吧？"

"听说过。"

"这款游戏可以将游戏世界与现实世界融合。不过，你必须通过手机才能看到游戏世界中的事物。你看，就像我现在这样。"

我弯下腰，凑过去看格雷戈里先生的手机屏幕。他的手机正对着邻居家的玫瑰花丛，屏幕上显示的就是玫瑰花丛。他要是不说，我以为他用手机在拍照。

"我们这是干什么啊？"我问。

他敲击了几下屏幕，上面突然出现了一个卡通版的大鸭梨。格雷戈里先生又用手指点了点屏幕，把大鸭梨朝着玫瑰花丛扔了过去。我朝上一看，这个鸭梨已经从手机里出来了，它在空中划过一道弧线，不偏不倚地落到了玫瑰花丛旁边。

"天哪，你是怎么做到的？"

"这个大鸭梨是游戏里的道具，并不是真的。只有通过手机才能看到。"

"进入游戏的人也能看到吧？"

"你说对了。"

　　就在这时，从花丛中爬出来一条细长的蛇，它长着一个硕大的脑袋，两只眼睛发着寒光，盯着大鸭梨看。

　　我不禁吓得往后一缩："天哪！"

　　"这个也是，其他人只有通过手机游戏才能看到这条蛇。"格雷戈里先生又解释道，"看我的。"

　　他对着手机一顿敲击，突然，一只脖子很长的紫色大壁虎从屏幕中弹了出来。还不到两秒钟，这只壁虎就变得超级大，那脖子足足有几米长。只见这只大壁虎死死地盯着刚才爬出来的那条蛇，眼睛里充满怒火。眼看一场大战就要拉开帷幕。

　　"你往后站站。"格雷戈里先生提醒道。

　　我向后退了足足五步。

　　壁虎发出刺耳的尖叫声，蛇也毫不示弱，跟着发出咝咝声。突然间，四周暗了下来，不知哪里传来了决斗的音乐。大蛇的眼睛变得又红又亮，两团火球从里面发射出来，直接朝着大壁虎飞了过去。火球刚飞到半空中，紫色的大壁虎就变成了红色的。大壁虎把火球吸进身体，还变大了一倍。这只红色的大壁虎抓住蛇的尾巴，放到自己的嘴里，然后一口吞下了蛇。胜负已分，那只大壁虎瞬间消失了，回到了格雷戈里先生的手机里。与此同时，周围又亮了起来，慷慨激昂的决斗音乐也随即停止。

格雷戈里先生转过身来，严肃地对我说："你绝对不能和这条蛇一样。"

"我当然不想这样！"说到这里，我痛苦地叫了出来。

"看来你根本没玩过这个游戏，我和你简单讲一下。这个游戏的主要目的，"格雷戈里先生忧心忡忡地看着我说，"就是抓住这些疯狂的怪兽。也就是说，你要用自己在荒野中抓到的怪兽，去战胜荒野中的其他怪兽。"

"几秒钟里你说了三遍'怪兽'。"

"打个比方，我在荒野中看到了一个眼镜蛇怪兽……"

"又说了一遍'怪兽'。话说回来，什么是眼镜蛇怪兽？"

"比如说，我看见一条蛇，就可以用自己之前抓到的怪兽来打败它。刚才我选了只壁虎，因为它擅长制服蛇。要是蛇赢了，我的壁虎就得休眠二十四小时，不能参加战斗。好在它打赢了，现在那条蛇也是我的了，再遇到什么怪兽，我也可以派那条蛇去应战。"

"但是现在，我已经在游戏世界里了……"

"所以，任何拿着手机玩这款游戏的人，都可以用自己的怪兽向你发起挑战。要是输了，你就永远是他们的俘虏了。"

"天哪，我绝对不要这样。"

"是的，所以你一定要小心，千万不要让玩这款游戏的人看到你。"

"我怎么知道谁在玩这款游戏啊？"

"这个嘛，那些一边走路一边抱着手机看的人，很可能就在玩这款游戏。"

我斜了他一眼，说道："所有人不都抱着手机看个不停嘛。"

"听着，我知道你很害怕，我们的处境确实很危险。但是，你只要小心一点儿，这一路上还是可以成功避开这些玩家的。"

"这一路上？我们要去哪儿啊？"

格雷戈里先生笑着凑过来说："当然是去救马克啊。"

自从成了隐形人，我光顾着紧张了，都忘了要去救马克。"这样啊，那真是太好了！但是，咱们要怎么做呢？

他不是在另一个游戏世界里吗？"

"这些回头再说。"格雷戈里先生告诉我，"你现在得想办法，先跟你的爸爸妈妈报个平安。"

"啊，确实是，得先和他们说一声。你能不能敲门去告诉他们我没事，不用担心我？他们现在就在厨房里。"

"你觉得我去合适吗？一个陌生的男人突然到访，说他们消失了的儿子一切都好，只不过是被困在游戏世界里了。"

"那还是算了。你是为了帮我才藏到灌木丛里的吗？"

"有这个原因，也有别的原因。对了，埃里克玩过这款游戏，是不是？"

"他肯定玩过。"

"那你赶紧过马路到他家去，在他打开这款游戏时，想办法让他看到你。然后，你再通过他，跟你的爸爸妈妈报个平安。十分钟后咱们还是在这里会合。"

"没问题。"

"还有，杰西——"

"怎么了？"

"千万别让别的游戏玩家看到你。"

03
呼噜震天

　　校车还有四分钟就要来了，埃里克却还在床上打着呼噜。

　　"嘿，老兄！"我捅了捅埃里克。当然了，我的手指直接从他身上穿了过去。"该起床了！快醒醒！"

　　我无奈地举起了双手。我原本打算按照格雷戈里先生说的，找埃里克寻求帮助。但是，在刚刚过去的二十分钟里，我却只能无助地在旁边看着他呼呼大睡。当然，我也试过大喊，朝他耳朵吹气，甚至还用那种喜欢鞋带的小毛球扔他，可正在做美梦的埃里克就像一辆轰隆作响的垃圾车。我根本没办法和他交流。

终于，在校车还有六十秒就到站的时候，这位呼噜震天的兄弟从床上滚了下来。

咚！

滚到地上的埃里克嘴里咕哝着什么，眼睛都没睁开，就开始穿袜子。

"埃里克，你总算起来了！我需要你的帮助！"我大声喊着。

他挖挖鼻孔，挠挠肚皮，一副睡意未消的样子。

"嘿，兄弟！快点儿啊！我在这儿！"

埃里克从地板上捡起一件衬衫闻了闻，然后又一脸嫌弃地扔了回去，换了一件味道可以接受的穿上。我赶紧把脸转到一边。

"打开手机啊，埃里克！先别去坐校车！"

他完全听不到我说话，不仅没打开手机，而且还准备去坐车。

　　不到三十秒，埃里克就收拾好了，只见他睡眼惺忪地走下楼梯，含含糊糊地和他妈妈说了再见，把书包往肩膀上一扛，朝着门外走去。他走到街角时，校车正好开过来了。我紧张地打量着车上的人，每五个孩子里，就有四个在玩手机或者平板电脑。这么多人，怎么知道谁在玩《疯狂怪兽》啊？我朝马路对面看去，格雷戈里先生已经急得不行了。

　　我也许应该离开埃里克，放弃原计划。但是，我的爸爸妈妈找不到我一定很担心。他们很可能会报警，如果藏在灌木丛里的格雷戈里先生被发现就麻烦了，他该怎么解释呢。这样一来，我们可能就没机会去救马克了。就算有孩子玩游戏的时候看到我，可能也不会注意到我在游戏里，毕竟，我每天都和他们一起坐校车，不是吗？他们不可能注意到我已经隐形了，只会把我当作一个去上学的普通学生，不会想到要把我抓住关起来。

　　校车缓缓停了下来。我又回头看了看格雷戈里先生，他使劲挥着双臂，想阻止我。但是，我还是跟着埃里克上了校车。埃里克坐到了他平时的座位上，正冲着前方，我也像往常一样坐到了他的旁边。校车再次启动，一切顺利，没有人注意到我。我坐在埃里克旁边，一心期盼着他赶紧拿出手机来看看。自从上次我俩被卷入《火力全开》之后，埃里克就发誓再也不碰电子游戏了。不过，他时不时还会玩一玩《疯狂怪兽》一类的手机游戏。

"手机游戏不算是电子游戏。"上周他还这么和我辩解来着。

"什么叫手机游戏不是电子游戏啊？它们当然是了！它们不是，什么是啊！"

"绝对不是。电子游戏是在电视上玩的，要不怎么叫电子游戏呢！得有电视啊。"

我指了指他正在播放电视剧的手机，问这和电视有什么区别。埃里克咕哝了一句，锁住了屏幕。

现在，埃里克终于开始玩手机了，我暗自窃喜他没有听我上周说的。只见埃里克在手机各屏之间翻了又翻。一页、二页、三页、四页……他这是下载了多少个应用程序啊？终于，埃里克找到了今天早上的心头好。

"喵喵喵喵。"

居然不是《疯狂怪兽》！

"喵喵喵喵。"

　　一款奇怪的养猫游戏。"埃里克！"我大声喊道。即使我知道再怎么喊，他也听不到。

　　喵喵喵。

　　"埃里克！"

　　喵。

　　"埃里克！"

　　喵。

　　"埃里克！"

　　喵喵喵喵。

　　"我的天哪！"身边突然传来一个孩子说话的声音，"快看这是什么！"

　　我僵住了，慢慢地转过身去。只见一个三年级的学生睁大了眼睛，用手机正对着我。瞧他那表情，就像看到了幽灵一样。我冲他笑了笑，挥了挥手。

　　"这个游戏里有个小孩！游戏里有个小孩！"

　　我冲他点了点头，并"嘘"地示意，想把这个当作我俩之间的小秘密。

　　"嘿！快来看啊！"这个孩子迫不及待地要和坐在他旁边的孩子分享我们之间的秘密。可惜的是，他的同伴似乎更想抓紧时间补个觉，完全没有理会他。看到自己的同伴怎么说都没反应，几秒钟之后，这个三年级的小孩又把目标转向了埃里克。

"嘿！嘿！"

喵喵喵喵喵！

埃里克抬头看向他。

"有人坐在你旁边！"

埃里克一头雾水地看着这个孩子，朝着我坐的地方挥了挥手，确定什么东西也没有，便回应道："不是吧，你看，什么都没有啊。"

"他在游戏里呢！在《疯狂怪兽》里！"

埃里克无奈地摇了摇头，继续玩自己的手机。

只听这孩子深吸一口气，说道："好吧，我要抓住这个男孩！"

天哪，这发展得也太快了吧。趁着他划动屏幕、寻找合适的怪兽来和我对决的时候，我直接凑到了他的眼前。他可能已经选好了，很可能这东西还长着獠牙。但是，当他想要把手机对准我的时候……却发现我用整张脸把摄像头都盖上了。

"怎么回事?!"他惊叫着扑到了自己的同伴身上。他的同伴呢,咕哝了两声朝窗户缩了缩,继续睡了。

"你把手机给他,"我说着把手指向埃里克,"快点儿。"

这个三年级的小孩含着泪,把手机递给了埃里克。看这架势,他大概没有在玩游戏的时候被游戏角色命令过吧。埃里克饶有兴致地接过手机。

"让我看什么啊?"他问道,"我不……"

突然之间,整个屏幕上都是我的一张大脸。"嘿,我得和你说件事。"

埃里克看看手机,看看旁边,又看看手机,惊得嘴巴都张大了。

"啊啊啊啊啊啊!"

尖叫声惊动了校车上的所有人。

04
艾莎公主

"别喊了！"我示意道。

"啊啊啊啊啊！"埃里克还是在自顾自地尖叫。

我用手去捂他的嘴，这么做当然没用，我整个人现在都隐形了。现在，几乎所有的孩子都掏出手机，想要录下这混乱的场面。坐在对面的那个三年级的小孩也高喊着，告诉大家打开《疯狂怪兽》这款游戏。几秒钟之后，校车上一半的人都发现了藏在游戏中的我。眼看着周围没地方藏，我只能想办法到车底去。

直到现在，我还不太明白现在自己究竟是一种什么形态。不过可以肯定的是，只要我用力顶一个东西我就能穿过它。于是，我使劲钻到了校车地板里，这让埃里克的尖叫声变得更大了——

"啊啊啊啊啊啊啊！"

在车底，我找到了一个很不错的地方，正好可以坐下。当然，虽说"不错"，但还是挺吵的，而且到处锈迹斑斑，温度也有点儿高。不过，我整个身子都可以蜷缩在里面，还奢求什么呢。我还不忘把头露出地板，和埃里克解释发生的这一切。

"别担心，我挺好的。你得给我爸爸妈妈打个电话，告诉他们……"

"啊啊啊啊啊！"埃里克尖叫着，眼睛瞪得圆圆的。看着地板上冒出来的人头，他的脸涨得通红。

"算了吧，当我没说。"我说着把头缩了下去。这一路上，我都躲在校车的地板下面。当然，这并不是件好玩的事，但是趁着自己现在是个隐形人，感受一下车底旅行也不错。

校车停稳后，我离开了自己的"座位"，焦急地在人群中寻找着。哪里都看不到埃里克。难道他已经进学校了？不，他在那边。只见埃里克举着手机到处看，来来回回地转着圈。我赶紧站起来，朝他挥了挥手，他看见我了，也向我挥了挥手，赶紧跑了过来。

"杰西，真的是你吗？"

"是我，我需要你……"

"我的天哪！这也太酷了！"埃里克通过手机上上下下打量着我，"你钻到地板下面之后，我以为你又到别的游戏世界里了。你现在什么心情？是不是觉得超有意思？"

"还凑合吧，我需要你……"

"能把我也带进去吗？我怎么才能变成游戏角色啊？"

"你可能进不来，但是你可以帮我……"

"你升级了吗？"

"什么升级啊，听着，我需要你……"

"对了！你碰到过黄金大雕吗？那种怪兽特别稀有，我听说这儿附近有一只。如果你……"

"埃里克！"

"怎么了？"

"我需要你给我的爸爸妈妈打个电话，告诉他们我一切都好。"

"好的，没问题。你干吗不直接说啊？"

我们躲到了校园的角落，与此同时，埃里克拨通了我妈妈的电话。

"您好，里格斯比太太……啊，是的，他和我在一起呢！是的，他……他一大早就来我家找我了……他没告诉您吗？我不知道。这么做也太过分了，怎么也该和您说一声。"

我白了他一眼，无奈地摊了摊手。当然了，他对这一切全然不知。

"当然了，我现在就把电话给他！让他自己和您解释！"我简直不敢相信埃里克居然真的这么做了。他举着手机对着眼前的空气，足足过了几秒钟，才意识到怎么回事，又把手机放到耳边，说道："真不好意思，他现在不方便接电话。嗯，好的，我一定转告杰西。"

埃里克挂断电话，又打开了《疯狂怪兽》，把摄像头对准我："你妈妈让我告诉你，回家有你的好果子吃。"

"真是谢谢你了。"

"不客气，你去哪儿应该先和她说一声。"

"下次被困到电子游戏世界之前，我一定记得告诉她。"

"这是个手机游戏！"

"是个什么？"

"你被困在了手机游戏世界里。电子游戏得在电视上玩……"

"好了，咱们别再争论这个了。我得在没有其他人发现我之前，赶快离开这里。"

"你要去哪儿啊？"

"去救马克。"

埃里克深吸一口气，问道："真的吗？怎么把他救出来呢？"

"没时间解释了。"我回答道。主要是因为我也不知道要怎么做。

"好吧，不过在这款游戏里，你得知道自己的绝招是什么。"

"我还有绝招？"

"当然了！所有角色都有绝招，有的能发出闪电，有的打嗝会释放毒气，有的能召唤龙卷风。"

"这些我应该都不行。"

"那你总能做点儿什么吧，赶快想办法搞清楚自己的绝招。你先想着，顺便去学校餐厅看看可以吗？我想知道今天有什么甜点。"

"我才不去呢。"

"好吧，那如果你看到了一只黄金大雕……"

"你快上课去吧。"

埃里克点了点头，并把手机放到了口袋里。他冲着我的位置挥了挥手，再次感叹道："这也太酷了！"然后，他转身朝教室走去。

　　终于就剩下我自己了。我深吸了一口气，朝四周望了望。格雷戈里先生看见我上了校车，很可能这时候他已经往学校赶了。我要做的就是在他来之前藏好，别让其他人看见我。

　　话说回来……我看向自己的双手，难道我也有绝招？想到这里我使劲眨了眨眼睛，想要像刚才的大蛇那样发射两个火球。但是，什么也没有。我也试着打了个嗝，确实有点儿不好闻，但是这气味也不至于有毒。接下来，我学着蜘蛛侠用中指和无名指去按手心，又像无敌浩克一样发了会儿狂，还像金刚狼那样攥了攥拳头。什么也没发生，我还是那个隐形的我。

　　这简直就是在冒傻气。昨天晚上我也就睡了一小会儿，现在我需要的是休息，而不是超能力。我打了个哈欠，伸了伸胳膊，活动了下手脚。

　　嗖嗖嗖！

　　只见我身旁的树瞬间变成了冰雕。

　　哇，这是怎么回事？！我又打了个哈欠——什么也没有发生；伸了伸胳膊——也没有什么变化。但是，当我伸直胳膊，张开手指的时候——

嗖嗖嗖！

一道寒光从我手里射了出来。太棒了！我又发射了几道。

嗖嗖嗖！

好吧，我不就是《冰雪奇缘》里面的艾莎公主嘛！说不定我也能在学校旁边，打造一座冰雪城堡。想到这儿，我又朝天空射出几道寒光。

嗖嗖嗖！

只听一声长嗥！

咣当！

怎么回事？我赶紧跑过去，发现自己无意间居然冻住了埃里克说的黄金大雕。它变成了一个大冰块，重重地摔倒了。

"天哪，你对黄金大雕做了什么？"

"我什么也没做，刚才我还以为你的喷火霸王龙抓住黄金大雕了。"

两个女孩从角落里走了出来，身边各跟着一只怪兽——一只暴躁的霸王龙和一只大脚怪。那只大脚怪和我家浴缸里的一样，只不过这只是棕色的。这两个女孩刚

转过弯，就怔住了。她们先是用手机对准了我脚底下的
黄金大雕，然后又对准了我。

"杰西？"其中一个女孩惊呼。

她旁边的霸王龙已经准备好要扑过来。

05
滑啊滑

"嗷嗷嗷！"

霸王龙吼叫着。

"呜！"

大脚怪也怒吼着。

"啊！"

这是我在惊声尖叫。

我们一起朝着篮球场跑去。我在前面领跑，两只怪兽紧随其后。眼看它们就要追上来了，我突然想起自己也是有绝招的。于是，我猛地转过身来，手指张开，只听……

嗖嗖嗖！

竟然没冻住！我赶紧再次发射。

嗖嗖嗖！

这回大脚怪身后的旗杆让我给冻住了。再试一次。

嗖嗖嗖！

又没有冻住。只不过，这次寒光射到了怪兽前面，而不是后面。它们前方的地面被冻成了光滑的冰面。

砰砰砰！嗷嗷嗷！咣咣咣！

霸王龙在光滑的冰面上失去了平衡，使劲挥舞着它那短小的前肢，但是这么做也没有什么用。它滑啊滑，脑袋重重地撞到了树上。只见它躺在地上，脑袋上直冒金星。很明显，霸王龙晕了过去。

已经搞定一个了！但是现在，大脚怪已经快抓到我了。我赶紧向后躲，同时准备再次发射寒光。

嗖嗖嗖！

这次寒光没有出现，我发射出了一个雪球。雪球不偏不倚地正好砸到了大脚怪的脸上，把它的嘴巴给冻上了一半。但是，它还是呼哧呼哧地喘着气，朝我逼近。

我赶紧继续发射。

咔嗒咔嗒。

我的手居然发出了咔嗒咔嗒的声音。可能冰雪已经用完了。我朝四周看了看，快速朝着自己制作的冰面跑去。在晕倒的霸王龙旁边，大脚怪差点儿一拳打到我。我赶紧跳到冰上，往前滑了足足三米。然后，我才回头，想看看大脚怪有没有和霸王龙一样滑倒。可惜这个怪兽的平衡能力好多了。它拖着脚滑了滑，开始也是满地打转，但是很快就适应了冰面，继续朝我扑了过来。我赶紧逃命，还从这两个女孩的身边跑了过去。从始至终，她们两个都把嘴张得大大的，通过手机屏幕观看着我和怪兽战斗。

"求求你们了，别让这些怪兽追我了，行吗？拜托了！"经过她们身边的时候，我大声求助道。但是，她们毫无反应，仍然张大嘴巴盯着手机屏幕。

我快速朝图书馆跑去，咚的一声跳进了图书馆。趁

着大脚怪还没追上来，我藏在了参考书区百科全书的书架之间。大脚怪冲进来后，哼了几声，没发现我。真是太惊险了，我努力平息着自己急促的呼吸。

图书馆里最好的藏身之处就是参考书区。这里的书架和书上都布满了灰尘，现在网络这么方便，估计很久没有人来过了。这一本本书就像一面墙，为我提供了掩护，让我可以喘口气。

"这边是我们的参考书区。"

图书管理员居然把一个十几岁的女孩带到了这里，我赶紧蜷成一团。

"这里的工作不多，保持整洁就可以了。这个区每过几个月打扫一次就行了，明白吗？"图书管理员说着弯下腰，拿起我面前的两本书，顺便用手在书架上摸了摸，说道："真的有一层土。"

这是命运在和我开玩笑吧！这么多本书放在这儿没人动，她偏偏拿起了正好挡住我的两本书！我想往旁边躲，但是已经来不及了，大脚怪看见我了。

"呼哧！"

我赶紧起身继续逃命。穿过一排又一排书架后，我从图书馆后墙穿到了餐厅，大脚怪紧紧跟着我。餐厅的工作人员正在摆餐，我瞅了一眼，今天的甜点是桃子馅饼，埃里克知道了肯定会很失望。

我又从餐厅跑进了一间教室，没有人注意到我。但有一个小孩在偷偷玩《疯狂怪兽》。看到一个四年级的学生从黑板里面冒了出来，后面还有一只大脚怪在追他，这个孩子吓得跳了起来。我继续跑，转到了走廊里，想要甩开大脚怪。

必须有个计划才可以。眼看走廊就要到头了，尽头有两扇门。我打算先进入右边的房间，然后再快速穿过墙进到左边的房间，这样或许就可以摆脱追捕。想到这儿，我低下头，跑得更快了。眼看大脚怪就要追上来了，我的脖子已经能感受到它呼出的湿热气体——二十米、十米，就快到了。我打算往里钻时，抬头才看清楚我要进入的房间是什么地方。

女卫生间!

不管我是不是隐形人，去女卫生间里怎么也不太合适。想到这儿，我赶紧右脚刹停，想要转变方向。不幸的是，这种急速转向需要一定的协调能力，而我似乎从一出生协调能力就不太好。我的腿像蝴蝶酥一样打了个圈，差点儿把自己绊倒。转向没成功，我骤然停在了女卫生间门口。

"呼哧!"

我用手捂住自己的脸。

"呼哧!"

恐惧让我缩成了一团。

"呼哧!"

这只怪兽到底想怎么样啊？我透过指缝看过去，发现这只大脚怪居然脚趾一张，稳稳地停了下来。它向前倾着身子把胳膊伸向我，疯狂地挥动着爪子。这架势就像是一条被拴住的狗，想要捕捉眼前被吓坏了的小松鼠，却怎么也扑不过去。我趁机钻到了男卫生间，然后一屁股瘫倒在卫生间的地板上，想要平复一下心情。这又是什么情况？

"嗷嗷嗷！"

我还没来得及搞清楚是怎么回事，就被按到了地上。只见一只和电影《侏罗纪公园》里面一样的迅猛龙，用爪子死死地按住了我的胸口。

06
抓住他了

房间里的灯光暗了下来，决斗音乐随即响起。

"嗷嗷嗷！"

"天哪，等一下！"我摇摇晃晃地爬了起来。

迅猛龙也后退了几步，摆好架势准备开战。

"杰西？"

我循声望去，是斯图·萨林杰，他高高的，看上去有点儿笨拙，是我们班的同学。斯图的手机正对着我，他看上去一脸迷惑。

"斯图，斯图，你得帮帮我！"

"哇！"

迅猛龙冲着我的脸就是一掌，还好我及时往左躲了过去。

"杰西，你怎么给自己在游戏里面加了一个角色啊？"

"我不是游戏里面加的角色！我是进入了游戏世界！"

迅猛龙又是一击，我赶紧躲到右边。

"这是你的怪兽吗？"我指着迅猛龙问斯图。

"等一等。"斯图说，"不可能吧，你是在和我说话吗？"

"当然是了，你能让它停下来吗？"我说话的工夫，迅猛龙已经跳上了洗漱池。

"哈哈，这也太有意思了。我一定得问问杰西他是怎么做到的！"

"嗷嗷！"

迅猛龙继续发起进攻，我被打得满地打滚。

"斯图！啊！"

"杰西要是知道我把他的角色给抓住了，一定会急坏的！"

"什么？别抓我啊！天哪，你有没有在听我说话啊？"

斯图在手机上划了几下，迅猛龙的眼睛突然发出了红光。它蹲在地上，像牛一样喘着粗气。这是使用冰雪魔法的好时机，于是我张开手指……

嗖嗖嗖！

我朝迅猛龙的脸上扔了一个软塌塌的小雪球。显然，几分钟的时间不足以恢复我的能量。

"嗷嗷嗷！"

迅猛龙低下头朝我顶了过来，我想要逃跑却为时已晚，直接被它的脑袋撞到了卫生间的隔间里。

"天哪！"我重重地摔到了地上，脑袋还撞到了马桶上。趁着迅猛龙还没回过神来，我试图找个地方躲起来。要不要藏到马桶里？

"嗷嗷嗷！"

就在这时，迅猛龙发起了攻击，这也终止了我的犹豫不决——不用往马桶里跑了。我紧紧地闭上了眼睛。刹那间，迅猛龙不再嘶吼，格斗音乐也停了，周围一片寂静。我鼓足勇气缓缓睁开双眼。

　　眼前出现的是斯图的大脸。他看上去足足有三十米高，从我的角度向上望，他的右鼻孔里面一览无余。斯图低头看向我，脸上乐开了花。

　　"抓住了！"

07
倒挂喷火兽

"听我说！让我出去！这不是在玩游戏！斯图！"

我挥舞拳头、大声喊叫，但一点儿用都没有。实际上，我甚至都搞不清楚自己究竟有没有喊出声来。我张大嘴巴还没有缓过神来，就已经被关到了斯图的手机里。

"你看上去和杰西本人一模一样！"

"我就是杰西！"我试图朝他喊。

斯图点了点手机屏幕，周围的灯光随即消失了，我感觉自己摔到了地上。就这样过了几秒钟，黑暗中突然亮起了一丝微弱的光。过了好一会儿，我的眼睛逐渐适应了这里的光线，我开始打量四周。看上去我是被困在了一个巨大的透明立方体中，周围都是这样的立方体，在半空中漂浮着。难道这就是手机内部的构造吗？这时候，好像有谁拍了拍我的肩膀。

"这是什么……啊啊啊啊啊啊！"

我转过身去，刚才那只迅猛龙正在后面盯着我看。"嗷嗷嗷？"它叫着，脑袋歪向一边。

"不要吃我！"我惊呼着，缩到了角落里。

"嗷嗷嗷？"迅猛龙继续叫着，凑到我身边闻了闻。我一动也不敢动。它似乎对我的脑袋很感兴趣，难道是因为我的头刚刚撞上了马桶吗？它拍了拍我的脑袋，继续叫着："嗷嗷嗷？"

不管它想干什么，很明显是不打算吃我的。说实话，我感觉迅猛龙是在问我有没有受伤。

"没事，我没受伤。"我就这么和面前的恐龙开始了对话。

"嗷嗷嗷！"迅猛龙回应着，用鼻子蹭了蹭我。然后，它歪着脑袋、眯着眼睛，在我面前摆出一副可爱的样子。啊，这是要干什么？我们就这样僵持了一会儿。它又用鼻子碰了碰我的手，然后低下了头。

我挠了挠迅猛龙的额头："你是想这样吗？"

它使劲往前拱着，还像小狗和自己的主人撒娇一样摇着尾巴。末了，它还伸出黏糊糊的舌头舔了舔我，不管我觉得有多恶心，然后它心满意足地蹦跳着回到了黑暗里。

我自己坐在这个立方体的角落里。接下来该怎么办呢？这下是不是谁也找不到我了？不知道要过多久，斯图才能意识到他把失踪的我困了起来？这段时间里谁能去救马克呢？我思绪万千，不知不觉睡着了。

"是的，他就在卫生间里！"斯图大叫着。我从睡梦中被惊醒。

"我说的都是事实，不信你们看看，他是不是和杰西长得一模一样。"

突然之间，周围又亮了起来。我感觉自己被吸到半空中，斯图和他的朋友们出现在我面前。看样子，这是在学校餐厅里。

"是不是和杰西长得一样？"

"哈哈哈，还真是。这家伙的头发也傻里傻气的，并且这个大鼻子和杰西的一样。"

伙计们，你们开什么玩笑呢？

"这也太酷了！杰西啊杰西，你是怎么在游戏里给自己创建角色的呢？"

"我也不知道。"斯图回答，"这一早上我都在找杰西，想当面问问他。等一等，那不是他的好朋友吗？嘿！埃里克！"

埃里克从斯图身后冒了出来："怎么了？"

"你知道杰西在哪儿吗？"

"嗯……啊……"埃里克含糊地点着头。突然，他又好像想起了什么，开始摇头："我的意思是没有，没有。嗯，怎么说呢，我见过他。这个……"他真是不太会撒谎。

"要是你看见杰西了就帮我问问他，我想知道他是怎么能做到这样的。"斯图说着，给埃里克看了看手机屏幕上的我。

埃里克瞟了一眼手机，点了点头。然后，他又猛地看了看："我的天哪，你在哪儿找到他的？"

"他突然出现在卫生间。我的迅猛龙抓住了他，也就五秒钟的事。"

埃里克开始紧张地踱步："这不行！这不行啊！"

"你怎么奇奇怪怪的啊，兄弟？不就是个游戏嘛。"

"不，这可不是闹着玩的！我是说，这是个游戏，这当然是个游戏。但是，我的天哪，斯图啊斯图。要不这样，你放了他行不行？能不能放了他？"

"伙计，你知道游戏规则。猎物一旦被逮住，是不能放的。"

"但是，我可以选一只怪兽，和他来一场对决，怎么样？"

"你想也别想！这个是我的了！"

"拜托你了，斯图。你看看，我这里肯定有你想要的怪兽。"埃里克说着掏出了手机，开始划动页面，给斯图展示他在荒野中捕捉的各种怪兽。

"静止兽、啮喙兽、拍打兽……"埃里克边说边迅速跳过了一只怪兽，"星侠、龙鱼……"

"嘿，等一等，刚才那个是什么啊？"斯图问道。

"啊，那个啊，那个是三级怪兽，叫星侠！挺不错的，是不？"

"不是，我是问它前头那个。"

"什么啊？噢，这个啊，它挺普通的，就是……"

斯图抢过埃里克的手机往上翻："这是倒挂喷火兽？你有倒挂喷火兽啊！我还没见过谁有这个呢！"

埃里克一把抢过手机，说："是的，这没什么大不了的。总之，除了这个，刚才那些怪兽有你想要的吗？"

"我就想要这个，要决斗你就派出倒挂喷火兽。"

"这个绒绒珠怎么样？"

我真想出去教训一下埃里克，都什么时候了，还不先想着怎么把我放出去！

"要玩就用你的倒挂喷火兽，不玩就算了。"

"不好意思啊，这个不行……"

"那拜拜了。"斯图说着转身要走。

这个埃里克！

"等等，就这个吧！咱们得说好了，不许用武器助攻。"

"一言为定！"斯图咧嘴笑了。只见他在我面前划了几下，我就被传送出去，再次站到了校园里。而我的眼前，有一只像巨大的黑色蝙蝠的怪兽，它没有眼睛，看上去恐怖极了，这就是倒挂喷火兽啊。突然间，灯光暗了下去，决斗音乐响起。

倒挂喷火兽张开大嘴，发出尖厉的叫声！当它的叫声达到最大的时候，一个火球从它的嘴里喷了出来。

"天哪！"我滚到了左边。刚才我站过的地方，已经出现了一个烧焦的大坑。

"哇！看来杰西是想在你的手机里一直待着啊！"埃里克提醒我。

难道说我要想得救，就得让这只怒火冲天的"大蝙蝠"用火球击中我？这也太恐怖了吧！

"让你们看看这个的厉害！"斯图喊着，划了一下手机，我身上立刻多了一条闪电腰带。

"哎哟！"周围突然都是耀眼的白光。好不容易一切回归正常，我睁开眼睛，却发现埃里克和他的倒挂喷火兽都比我矮了好多，这么看来我怎么也得有三米高。

"不是说好了不能用武器助攻嘛！"埃里克尖叫道。

"我忘了。"斯图回答。

他又划了几下手机，我的手开始刺痛。不要，不要啊！我的右手突然不受控制地抬了起来，不要啊！这时候我想用左手按住右手，但是已经来不及了。

嗖嗖嗖！

我冲着倒挂喷火兽发射出一簇耀眼的寒光。只见它腾到半空中，一个侧身躲了过去。但是，这簇寒光威力太大了——我还是击中了它的右翅。它哀嚎一声摔到地上，右翅已经被冻成了冰块。

　　"哈哈哈！"斯图笑着点着手机。我不由自主地朝着地上这只挣扎的怪兽走过去。但不管我怎么抗拒，我都无法停下来，在不同力量的拉扯之下，我的步伐变得沉重又奇怪。那只怪兽试图起身爬到一边，但是受伤的它还是一次又一次倒在了地上。这时候，我的左手又开始刺痛了。天哪，要是我打败了这只怪兽，斯图就赢了，那我就会永远被关在他的手机里了。

　　"小心！"我喊出了声。半米之外就是这只可怜的怪兽，它看上去似乎已经放弃挣扎了。我的手缓缓抬起。"埃里克！"我喊道，"帮我和格雷戈里先生说声对不起！"刹那间，我手上的刺痛转化成一道寒光。这下可完了！

　　就在这时，倒挂喷火兽突然看向我。只见它诡异地一笑，张开大嘴就把我吞了下去。

08
隐形绳索

"抓住他了！"

"不是吧！这不公平啊！"

埃里克根本没有听到斯图的抱怨，只是自顾自地跳起舞来。他又喊又叫、扭腰摆胯，足足过了一分钟才想起来，自己把最好的朋友关到了手机里。埃里克拿出手机一通操作，我又回到了餐厅的地板上。

"你真是太过分了！"我一出来，就冲他嚷道。

埃里克听了一脸迷茫，问道："为什么啊？我救了你，不是吗？"

"刚才我让那只怪兽给吞了！"

"确实，不过，那可不是一般的怪兽……"

我扭头就要走。

"嘿，等等，杰西！快回来！"

我才不听他的呢！我一定要在其他怪兽追我之前，逃到学校外面去。我要去找格雷戈里先生，一直待在他身边不离开，然后……

"哎哟！"

我刚想迈出餐厅，但是好像有一股力量拽着我，把我拉了回去。我又试着迈步，还是不行。回头一看，埃里克还在原地站着，通过手机看着不能前进的我。"你不打算告诉我这是怎么一回事吗？"我喊道。

埃里克朝四周看了看，走过来把我拉到了角落里，然后低声说道："你走不远的，你被拴住了。"

"你在说什么？"

"当你捕获了一只怪兽，你就可以用隐形绳索拴住它，让它与其他怪兽对战。"

"可是刚才追我的那两个女孩子的大脚怪和霸王龙呢？看起来它们并没有被拴住。"

埃里克叹了口气，就像和小孩说话一样，继续解释："如果在游戏里充值，绳索就可以变长。但是，绳索再长也不可能是无限长的。"

我想起了刚才那只大脚怪，明明就在我面前，却只能挥舞拳头，不能再进一步。

"所以，我现在是被你拴在手机里了吗？"

埃里克耸了耸肩膀。

"那也不错啊。你能不能充个值，让这隐形绳索变长点儿？那样我就不用非跟在你旁边了。"

"不能，我妈妈很久以前就把我手机上绑定的信用卡给删了。"

我们相视无言，在原地愣了几秒。"对了，有个大人能帮咱们。"我说。

我俩离开学校，去找格雷戈里先生。我知道他就在这附近，并且很可能藏在了灌木丛里……

"嘿！这边！"从垃圾桶旁边的灌木丛里，传来格雷戈里先生的声音。我们走了过去，格雷戈里先生的脑袋从灌木丛里冒了出来，他还是举着手机。

"谢天谢地，你没事真是太好了！"格雷戈里先生对我说。然后，他又转向埃里克："谢谢你保护杰西——你不知道，要想把马克救出来，必须有杰西才行。现在你不用担心了，我们几小时之后就能把马克带回来。"

"太棒了！"埃里克欢呼着，"不过，还有件事，我们能借你的信用卡充个值吗？"

"你充值干什么？"

"延长绳索。"

"什么绳索啊？"格雷戈里先生看上去很着急，"你们是什么意思？"

"啊，是这样的——你先别着急——怎么说呢，杰西被我们同学抓住了，不过还好，我已经把他救出来了。但是，还有一个问题，就是作为我的怪兽，他不能离我太远。"

格雷戈里先生把手机转向我，惊声问道："你被抓住了？"

"我说了你先别着急。"埃里克解释着。

"这可不行，这下就麻烦了！"

"你给我们信用卡，借给我们点儿钱充值就可以了。"埃里克说。

"我现在没有信用卡啊！"格雷戈里先生已经控制不住自己的音量了。

"哦，我们觉得你是个大人，应该有信用卡……"

"我有信用卡，但是现在不能用，刷卡就会被他们发现的！"

"'他们'是谁啊？"我问道，突然间意识到他作为一个成年人，一直躲在灌木丛里，肯定是有什么问题。

"超级生物软件公司的人！"格雷戈里先生压低声音说道。

"就是那个游戏公司吗？"埃里克问。

"等等，你是因为怕被他们发现，才躲在灌木丛里的吗？"我也问道。

"听我说。"格雷戈里先生小声说，"他们在密谋一些非常可怕的事情，非常可怕！如果让他们知道我们要去……"

埃里克看着我，这眼神应该是在问："这个人脑子没问题吧？怎么净说胡话啊？"

格雷戈里先生看到他的表情，解释说："我知道这听上去很奇怪，你可能以为我疯了。"

埃里克紧张又尴尬地笑了几声，无力地辩白道："呵呵，别开玩笑了，我们才不会觉得你疯了呢。对不对，杰西？"

"老实说，我觉得这事有点儿令人难以置信。"

"说起来确实不容易接受，就像你没办法和别人解释清楚你已经进入游戏世界里，不是吗？"格雷戈里先生说。

我耸了耸肩。

"我亲眼看到马克被关在这家公司。"格雷戈里先生接着说，"信不信由你。还有一件事，我得先说清楚。"

我顿时感觉一阵紧张："什么啊？"

"你要想从《疯狂怪兽》里出来，就必须偷偷潜入超级生物软件公司。"

09
冰雪发射炮

　　不管格雷戈里先生有没有疯，他都是我从游戏世界里逃出去的唯一希望。因此，我们一行人马上开始行动，来到了学校后面的树林里。

　　"还有多久才能到啊？"在树林里跋涉了大约十分钟后，埃里克忍不住问。

　　"不远了。"格雷戈里先生很明显是在忽悠我们。接下来的一个多小时，我们一直都在树林里往前走。突然，格雷戈里先生示意埃里克停止抱怨，用手指向前方山丘上的建筑。

"哇！终于到了！"埃里克小声欢呼着。

我一直以为那些制作电子游戏的公司，都应该在繁华街区的办公楼里。而且，公司里配备着乒乓球台、电子游戏厅，到处都贴着游戏《刺猬索尼克》的海报。当然，这是一般的游戏公司，很明显超级生物软件公司与众不同。眼前的大楼看上去更像是电影里面政府的秘密基地，做着什么隐秘的实验。因为这座大楼通体黑色，并且没有窗户，墙上贴着大大的警示牌。周围一圈都是防止外人闯入的电网。

"咱们怎么进去啊？"我一边问，一边和他俩朝电网走去。

"我们不进去。原计划是你进去，因为你隐形了。我们躲在树林里，用笔记本电脑助你一臂之力。"格雷戈里先生说，"不过，现在你俩都得进去，我也没想出什么好办法来。"

我朝电网里面看去，保安室距离我们也就三十米远。

"也许我俩不用都进去。"我说，"隐形绳索最长可以延伸到多长？"

"大约四百米。"格雷戈里先生回答。

一辆汽车驶了进去，保安们都走到了窗户那边。我看准时机，示意埃里克跟上我，俯身朝保安室跑了过去。跑到墙边，我们赶紧坐到了地上。我计划着下一步的行动，而埃里克呢，还在努力平复着自己急促的呼吸，生怕被发现了。

"好了，现在打开《疯狂怪兽》，调到用信用卡支付的页面。"我说，"我有个办法，不知道行不行，先试一试吧。"

埃里克点了点头，还在喘着粗气。

我拍了拍他的肩膀，给他打了打气，然后穿过保安室的墙，滚到了屋里。一个保安坐在桌子旁，他面前的墙上挂满了监控屏幕。我深吸了一口气，朝他走过去。接下来的动作略显尴尬，我爬到了他的椅子下面，抬头向上钻。砰！我的头穿过椅子，正对着他那被卡其色工作服包着的大屁股。好，下一步是最困难的。我看准了保安屁股后面的口袋，然后轻轻地靠了过去……我的脸

穿了过去，双眼紧贴着这个家伙的钱包。然后，我又用
力一顶。这下我就能看到钱包里面了！大约过了几秒钟，
我的眼睛适应了一下，就开始去研究钱包里信用卡上的
号码！差不多过了一分钟我才把卡号背下来——但愿我
以后不用再干这种事了。我想着，又默背了几遍卡号，
然后出来回到了埃里克身边。

"五一九九、七四五五……"我一边背，埃里克一边
在手机上输入。

　　"好了。"他输完卡号跟我说，"信用卡的安全码是什么？"

　　"信用卡安全码？什么是信用卡安全码啊？"

　　"我怎么知道啊，我又没有信用卡！等一等！这上面说是信用卡背面的三个数字。"

　　我叹了口气，又回到保安室里，继续去保安的钱包里寻找信用卡的安全码。大约过了一分钟，我又回去了。"是四五五。"

　　埃里克输入了安全码："成功了！"

　　"把绳索延到最长，需要多少钱？"我边问边小心翼翼地和埃里克往回爬，"得几美元吧？"

　　埃里克翻着手机里的选项说："要想把绳索延到最长，需要五十。"

　　"美元吗？"

　　"当然了，不过能有四百米长呢。"

　　"你是说这条看不见的绳索，需要花五十美元才能延到最长吗？"

　　"是啊，只有这样才能更好地抓怪兽啊。"

　　我摇了摇头。埃里克划着手机屏幕，我听到了清脆的叮咚声，很明显钱已经充进去了。

"没问题了，你的绳索长度已经更新了。"埃里克说，"你如果真要只身闯进去，我们最好给你武装起来。"

"有这个必要吗？我又不是要打进去！"

埃里克顾不上理我，他正抱着手机忙着刷别人的信用卡呢。"三级装备？得准备着。"*叮咚！* "双倍冰雪、制造暴风雪、冷冻手……"*叮咚！叮咚！叮咚！*

我感觉全身刺痛。"埃里克！"

他这才抬起头。

"你又花了多少钱啊？"

他看了看手机："差不多七十美元。"

"埃里克！"

"你不想让自己厉害点儿吗？"

"不能这样！得把人家的钱还回去！"

"好吧。"

我们终于回到了格雷戈里先生那儿。"能借我一百二十美元吗？"埃里克问。

"好的，没问题。"格雷戈里先生敷衍地回答着，根本没有理会他，而是专心地鼓捣着自己藏在树林中的笔记本电脑。"快点儿，快点儿，快点儿……好了！"这时，一副闪着光的玻璃眼镜从电脑屏幕里跳了出来，就好像早晨从手机里蹦出来的大鸭梨一样。

"把眼镜戴上。"格雷戈里先生对我说。

我俯身去拿。很明显，这副眼镜是游戏中的而不是现实中的，我很顺利地把它从地上捡了起来。一戴上眼镜，我就能感觉到这眼镜挺沉的。"这是干什么的啊？"

"过来看看。"格雷戈里先生让我和埃里克都凑到了电脑旁，屏幕上显示出眼镜拍摄的实时影像。"你戴上了这个，我们就能了解你的处境了，还能通过眼镜里的话筒和你随时交流。"

"你怎么做到的？"我问，"这副眼镜是虚拟的啊！"

"我参与开发了这个游戏，自然知道怎么做点儿手脚了。"格雷戈里先生笑了，声音中有些许自豪。

"太棒了！"埃里克说，"能给我一百二十美元了吗？"

"一百二十美元？"格雷戈里先生吃惊地看着埃里克，眼睛都快瞪出来了。

埃里克解释了一通，我们需要钱延长隐形绳索，也需要冰雪发射炮，并且这些装备太酷了。总之，最后格雷戈里先生真的从钱包里掏出了钱，不过他要求我俩答应，不再往游戏里面充值了。资金问题解决了，我们觉得得试用一下监控系统。于是，我走到保安室。"能看见那边的保安吗？"我小声问道。

"能看见。"格雷戈里先生说，"大点儿声，杰西，他听不到你说话。"

我看了好一会儿保安是如何工作的——看监控，看时间，打哈欠。趁着他拿手机发信息的工夫，我大喊："现在扔！"

埃里克起紧拿着两张揉成一团的钞票从树林里跑了出来，把它们扔到了保安室里。

呼！呼！

埃里克又快速跑回去藏了起来。保安听到声音走了过去。他捡起地上的两团纸球，发现是两张大钞——一张一百、一张二十。他眼睛睁得圆圆的，一副不可置信的样子。

"成功啦！"我喊着，跑了出来。

回到树林之后，格雷戈里先生冲我竖起大拇指，称赞道："干得不错，杰西。现在，快去救马克吧！"

他在电脑上打开了这座大楼的俯视图。"你看，这是我们现在的位置。你要从这儿穿过电网，沿着这条路到超级生物软件公司的货物装载区。进去之后，我会告诉你具体路线，你按我说的走就可以了。"

"明白了。"我说，"但是，如果我遇到了怪兽，该怎么办啊？"

"不用担心。"格雷戈里先生说，"你遇到的怪兽都还没经过训练呢，不向它们挑衅，它们不会主动攻击你的。"

"要是真有什么怪兽攻击你，你就用冰雪发射炮！"埃里克说。

"不能用那个！"格雷戈里先生厉声警告道，"尽量不要让自己卷到决斗里去。"

"我保留意见。"埃里克嘟囔着。

我深吸一口气，说："我都记住了，谢谢你，格雷戈里先生。"

"杰西，"格雷戈里先生突然变得严肃起来，"你一定要小心，我们不能再失去你了。"

我点了点头，然后转身穿过树林，朝电网走去。当然，我"穿过树林"的方式和普通人可不一样，我是真的"穿过"了每一棵经过的树。这感觉挺不错的。我就用这种方式穿过了电网、灌木丛，然后……

我的天哪！

"你们能看到吗？"我通过耳机问他俩。在我和超级生物软件公司的大楼之间，有一片草地，上面站满了各种怪兽。但是，这些怪兽和我早晨看到的那些不一样，它们一点儿也不温顺，而是走来走去，暴躁地吼着。而且，每只怪兽的眼睛都发着红光，似乎准备好了要发起进攻。

"快用冰雪发射炮！"埃里克的声音从耳机里面传了出来。

接着，就是格雷戈里先生的声音："先别动！"

"为什么它们都开启了战斗模式？"

他叹了口气："唉，超级生物软件公司肯定知道咱们要来，早就准备好了。行动取消！"

"但是……"

就在这时，有个爪子缓缓碰了碰我的后背。我转身一看，一只迅猛龙双眼发着红光，正冲我坏笑。

10
文尼

"冰雪发射炮！"

"快跑！"

埃里克和格雷戈里先生的建议都不怎么样。我要是用冰雪发射炮，就相当于直接向整个草坪上的怪兽宣战。但是，如果逃跑，没两步就得让这只恐龙吃掉，我怎么可能跑得过它呢。这时周围又暗了下来，决斗音乐再次响起。我打量着眼前的这只迅猛龙。

"嗷嗷嗷！"

它比斯图的那只迅猛龙还要大很多。"嘿，伙计。"我尝试和它沟通。

"嗷嗷嗷！"

这似乎让它更生气了。但我还是接着说："咱们交个朋友怎么样？"

"它根本不想交朋友！"埃里克通过耳机大声喊道。

"我的名字叫杰西，你呢？我能喊你文尼吗？迅猛龙文尼？"我说着伸出手，迅猛龙叫了几声。但是，我并没有缩回手，而是挠了挠它的头。

"嗷嗷嗷？"只见它把头歪向一边，还摆动了一下尾巴。与此同时，迅猛龙的眼睛也不再发出红光，而是变成了正常的浅棕色。紧接着，它摇了摇头，长长地叫了起来："嗷嗷嗷嗷嗷嗷！"

"杰西，你这是在干什么啊？"耳机里传来格雷戈里先生关切的声音。

我又挠迅猛龙两只眼睛之间的位置，它开始晃动尾巴了，还用鼻子使劲蹭我的前胸，两条后腿愉快地蹬着地。最后，迅猛龙开始在地上滚来滚去地玩，决斗音乐随即停止了，周围又亮了起来。"真是个乖宝宝。"我说。

"嗷嗷嗷。"文尼轻声哼哼作为回应。

"我还从来没见过这种情况。"格雷戈里先生的声音从耳机里面传来。

"我倒是见过。"我说着，继续挠着文尼的头，还抓了一会儿它的肚皮。大约过了几分钟，我看着眼前的迅猛龙，真诚地问道："你能带我穿过这里，带我到大楼里面去吗？"

"嗷嗷嗷！"

"它听不懂你说话。"埃里克通过耳机叨叨着。

"迅猛龙都非常聪明。"我回应道，"《侏罗纪公园》里面讲过。"

"你眼前的根本不是迅猛龙，是萨尔塔龙。"埃里克说。

"那也差不多。"我回应道。

随后，我又看向文尼，问："你觉得怎么样，伙计？"

迅猛龙（我才不会承认它是萨尔塔龙呢，这太可笑了）蹦蹦跳跳地围着我转圈。

"哈哈，那太好了，咱们走吧！"我说着爬到了文尼背上，抬手指向货物装载区，那就是我们的目的地。文尼点点头，动身出发了。草坪上的怪兽都抬头看了过来。也许这不是最好的主意？首先迎接我们的就是一排半金属机器蜥蜴。

"伸出一只手，紧紧攥住拳头！"格雷戈里先生指挥着我。

嗖嗖嗖！

一道寒光从我的手里喷射而出，所有机器蜥蜴都被冻住了，在原地动弹不得。

"哇！冰雪发射炮真是太厉害了！"埃里克欢呼。

我还没来得及高兴，一头绿色的大犀牛就从右边冲了过来，它的角特别大，看上去异常锋利。

"右手攥拳，就像拿着一把宝剑一样！"格雷戈里先生说。

哗！

我的手里突然有了一把冰雪宝剑，正好挡住了大犀牛顶过来的角。它那刀锋一般的角和我手里的冰雪宝剑交叉在一起，僵持了几秒钟——哗！我挥剑斩下了犀牛角。嗖！又把它冻住了。

"哎哟！"刚解决了犀牛，一只长着羽毛的大怪兽就从天空中朝我俯冲过来，想要把我从文尼身上叼起来。

"伸手！"

我按照耳机里面的指示，瞬间将这只怪兽冻住了。

"冷冻手！太棒了！"这是埃里克的声音。

文尼载着我左躲右闪、抵御攻击，在草坪上艰难地穿行。眼看还有十米我们就到货物装载区了，后面那群凶猛的怪兽还穷追不舍。我猛地回头，朝着身后的草坪发射寒光。

嗖嗖嗖！

一道又一道的寒光接连射出，我们的身后出现一片冰湖。敌方大军的头领——一头巨大的白熊率先跑到冰面上，还没来得及走一步就脸着地重重地摔倒了。大白熊绊倒了跑在后面的棍子怪兽，和成年人差不多大的棍子怪兽又挡住了后面长着毛刺的怪兽，只见它们翻滚着倒了。就这样，大约有二十只怪兽摔在了冰面上。我和文尼趁机穿过货物装载区的大门，身后的怪兽已经溃不成军了。

"接下来要往哪儿走？"我对着耳机问。

"直走，穿过仓库。"格雷戈里先生告诉我，"仓库后面有一扇门，能通到大楼里面。趁着后面的怪兽没追上来，快跑！"

我推了推文尼的后背，想要朝着眼前的仓库进发。但是，面对黑漆漆的仓库，文尼就是不肯挪步。"走啊！咱们得快点儿了！"文尼却往后缩了几步。"咱们出发啊，伙计！"文尼只是轻鸣一声。我戳了戳它的后背，又轻轻踹了踹它的肚子，文尼就是不肯向前。没办法，我只能从文尼的背上跳下来，安慰它道："听着，没什么

好担心的。"我甚至没有注意到一只巨大的倒挂喷火兽
正张开爪子,等着我自动送上门。

"啊啊啊啊!"

这只大蝙蝠一样的倒挂喷火兽抓起我,把我抛到了
仓库的房梁上。我缓过神来后,发现自己已经倒挂在十
几米高的半空中。

它开始发出刺耳的叫声,准备要喷火了。

"伙计们!怎么办啊!"我通过耳机大声求助。

倒挂喷火兽的叫声越来越大。

"这下糟了!"埃里克叫道。

"你可以试着……"

格雷戈里先生的话还没说完,就被倒挂喷火兽的叫
声打断了。它从嘴里向我喷出一个火球。我赶紧伸手抵
挡,用寒冰挡住了面前的火球。冰与火相遇的一刹那,
形成了一道瀑布,从我们之间的房梁上倾泻而下。我们
就这么僵持了一会儿,双方的能量几乎同时耗尽了。倒
挂喷火兽和我都喘着粗气,计划着下一步的行动。

这只倒挂喷火兽似乎想到了办法。没错,它可以直
接吞掉我。只见它张开血盆大口,就要把我吞到嘴里。

眼看无处可躲，一切都要结束了，呼！一枚蛋重重地砸到了这只倒挂喷火兽的脸上，救了我一命。

倒挂喷火兽正疑惑着，呼，又一枚蛋袭来。它尖声叫着，半天才通过声呐感应找到了袭击者。几乎在同时，我也看到了下面正冲着倒挂喷火兽扔蛋的文尼！只见文尼手里拿着一枚蛋，准备再次扔出去，它嘴里好像还叼着一只小兽。

倒挂喷火兽怒火中烧，扔下我就去攻击文尼。真是让人喜忧参半。喜的是，倒挂喷火兽暂时不打算把我吞到肚子里去了；忧的是，从十几米高摔到水泥地上，我肯定会伤得不轻。

就这样，我尖叫着跌了下去，双手在空中挥舞，希望能抓住什么。

嗖嗖嗖！

十米、五米——我已经准备好摔成肉饼了。但是，我不但没有落地，反而加速滑到了仓库的角落里。原来就在刚才我不知所措的时候，发射出的冰束和风相互作用，形成了一个冰滑道。我不仅成功脱险，还正好顺着滑道滑到了自己的目的地！但是，还有一个问题……

我望向仓库的另一边，倒挂喷火兽步步紧逼，文尼节节败退。

"文尼！"我大喊。

文尼也看着我，小胳膊挥舞着，示意我不要管它，赶紧穿过那扇门。就在这时，外面的怪兽大军也从文尼身后破墙而出，涌进了仓库。

"挺住！我去救你！"我跑向文尼，倒挂喷火兽的叫声也达到了顶峰，它喷射出一个个火球。一瞬间，我的朋友文尼和怪兽大军都消失在了火海之中。

11
控制室

愤怒的倒挂喷火兽连续喷射了十秒火焰。

"文尼!"我悲痛地喊。

倒挂喷火兽把目光转向了我。

"快离开那儿!"格雷戈里先生喊道。

我赶紧转身,身后的倒挂喷火兽又开始叫。"你能救救文尼吗?"我冲耳机里面问。

"对不起，杰西，没有办法。"格雷戈里先生说。

"让它活过来！"我强忍住泪水说着，"这个游戏是你参与开发的，你一定能让文尼活过来！"

"对不起，杰西，我知道你很难受。"格雷戈里先生说，"咱们得继续下一步的计划。"

"但是……"

"马克需要你。"

我停了下来，想平复一下自己激动的心情。

"就是这样。"格雷戈里先生说，"现在，你需要沿着走廊走到尽头，在那里乘坐电梯，到地下室去。"

我吸了吸鼻子说："好的。"我擦去眼角的泪水，继续往前走。建筑的里面和外面一样色彩单一，白色的墙面和白色的地面与房顶射下来的白色灯光相互辉映。

"马克是被关在地下室吗？"我问道。

"这个嘛，怎么说呢……"

就在这时，有个人抱着手机从一个房间里走了出来。我担心他在玩《疯狂怪兽》，这样他会看到我。于是，我赶紧穿过了走廊的墙，以防被发现。

"那么，你觉得……"我说着朝身处的房间看去，"我的天哪！"

我无意中闯进的这个房间里，坐着一排一排的工作人员，他们每个人都对着一台电脑。还有一些人用小型全息投影仪在播放着全息图，感觉和"星球大战"系列电影里面一样。房间最前面的巨型屏幕上，显示着许多数字和不停变化的图表。整个房间就像是未来世界里的秘密基地。

"你们就是在这里开发电子游戏的吗？"

"那里很危险！"格雷戈里先生喊道，"你得赶快离开那儿，到地下室去。"

"好的，"我朝房间另一侧的门走去，"我先看看刚才那个捧着手机的人还在不在。"

"不用管他，"格雷戈里先生的声音中透着一丝恐慌，"你得赶快离开那儿。"

"好的，好的，我这就……"我无意间瞥了一眼旁边的电脑，瞬间愣在了原地。电脑屏幕上的场景如此熟悉，正是自由女神像升空的游戏片段。

"这是什么？"

"杰西！赶快离开那儿！"

电脑屏幕上，两个小人从自由女神像的王冠处跳了下来。这两个小人不就是埃里克和我嘛！

"他们……他们这是在监视我们吗？"我问。

"那里太危险了！"

我又看了看另一台电脑，屏幕上是我和埃里克开着坦克，穿过黑暗的沼泽；另一台电脑的屏幕上是埃里克在落基山上冲我开炮；另一台电脑屏幕上是我背着飞行器在夏威夷上空飞翔。我仔细一看，至少有几十台电脑的屏幕上是我和埃里克在游戏里的画面。

"格雷戈里先生，既然他们都知道我们被困住了，为什么不去救我们呢？"

"赶快去地下室！"

格雷戈里先生向我们隐瞒了什么吗？我沿着房间的过道向前走，每台电脑的屏幕上都播放着电子游戏。有的是我和埃里克玩的《火力全开》，有的是其他游戏，这些应该都是超级生物软件公司开发的——比如赛车、太空射击，等等。我又看了看太空射击的游戏。电子游戏里面的主角应该是一副大义凛然的样子，可是这里面的主角却满脸恐惧，好像在尖叫。而且，他看上去年龄很小。我又仔细看了看房间里其他电脑的屏幕，每个游戏里的角色都是这样，好像是被迫参与游戏一样，并且年龄都不大。

"这是怎么回事？"我喊道，"他们故意把小孩困在游戏世界里吗？"

"如果你还不出去，我就把你收回来了！"格雷戈里先生说。

就在这时，房间前面出现了一个大的全息图。画面中有一个衣衫褴褛的老人，全身缩成一团。他瑟瑟发抖，耷拉着脑袋，身体僵硬地前后摇晃着。我凑了过去，感觉这个老人看上去很熟悉。

突然间，他抬起头看向了我。我感觉全身僵住了，这双蓝色的眼睛——是马克啊！

12
疯狂科学家

"马克!"我大声喊着,"马——啊!"突然间,有股力拽住了我。

"我只能把你收回来了。"格雷戈里先生的声音从耳机里面传了出来。我感觉自己被无形的绳索拉着往回走。我想要抵抗,想挥舞着双手抓住什么,让自己不被拽走。这都是徒劳的——我什么都抓不住。

"埃里克！这是怎么回事？快帮帮我！"

"他把手机抢走了！"埃里克喊道，"他把手机抢走了，他要把你收回来！"

"你得帮帮我——我看到马克了！"

我的耳机里突然传来一阵骚动。

"哎哟！你干什么！"

一秒钟后，埃里克上气不接下气地和我取得了联系。

"我拿到手机了！"他喊道，"快去找马克！"

我跑到全息图跟前，冲着我的朋友大喊："马克！马克！"他却没再往这边看。我想伸手去抓他的肩膀："跟我走，咱们离开这里。"但是，我的双手径直从他的身体里穿了过去。没办法，我只能爬到全息投影仪的支架上，看看有没有什么东西能帮我把马克带出来。

"天哪！"旁边有人惊呼，但是我并没有在意，一心研究着全息投影仪支架的底部，想找找有没有传送门。

"你们看到了吗？"

"把图像投到大屏幕上，赶快叫保安！"

支架底部只有一台投影仪，我把脑袋钻了下去，不肯放弃一丝希望……

突然间，屋子里静得可怕。我抬起头朝四周看，周围的人不是盯着我，就是看向前方的屏幕。我也跟着转过身看去，只见大屏幕上是马克的全息图。不一样的是，在马克的背后出现了一张脸——我的脸。

"坏了。"我咕哝着。

"坏了。"屏幕上的脸也跟着说。

整个房间里的人都骚动起来。突然之间，人们开始惊声尖叫，有的人从桌子前跳了起来，有的人急匆匆地开始打电话。我正打算从支架上爬下来，只见两名保安——一个留着络腮胡子，一个一身肌肉朝我跑了过来。我必须赶紧逃离这里，如果有人打开《疯狂怪兽》，我就要被抓住了。

"抓住他！"

留着胡子的保安一下抓住了我的脚。这是怎么回事？我不是隐形了吗？看来全息图干扰了《疯狂怪兽》的游戏世界，让我暂时出现在现实世界中。我想把他踢开，但是怎么使劲都没有用。我尖叫着想要挣脱，绝望之际，我用尽全力猛地踹了大胡子一脚，他失去平衡，眼睛正好磕到了全息投影仪支架上。

"哎哟！"大胡子松开手，抱着脑袋痛苦地喊着。

"对不起了！"我喊着，朝着最近的墙跑去，想要穿墙逃跑。

"*保持冷静！*"广播里传来一个女声，"*启动隐形人协议！*"

"什么是隐形人协议啊？"我喊着穿过墙。走廊里的警示灯亮起，白白的墙瞬间变成血红色。

"*保持冷静！启动隐形人协议！*"

我拼命逃跑，穿过了另一个房间，然后又来到了另一条走廊。格雷戈里先生的声音从耳机中传来。

"你就是他们说的隐形人。"他告诉我，"抓不到你，他们是不会罢休的。我就是担心这个，才着急叫你回来。"

"你就不能直接告诉我，不要靠近全息投影仪吗？"我冲耳机喊道，急速穿过卫生间。

"你不了解情况有多么复杂。"

"*现场发现数字隐形人。*"

我又穿过一条走廊、两个房间，跑到了一间空无一人的实验室里，打算在这里稍做停顿，调整呼吸。

"不能在这里休息！"格雷戈里先生警告说。

"为什么这里也不能停，那里也不能停？究竟是怎么回事？"我开始四处打量这间实验室。这里就像电影里那些疯狂科学家的实验室一样，有装着绿色液体的烧杯，有发光的电子管，还有一副担架，担架上还放着那种固定胳膊或者腿的束缚带，整个实验室看上去阴森恐怖。

"杰西，你必须……"

我把眼镜摘下来扔到了房间里。格雷戈里先生肯定是有什么事情瞒着我和埃里克，一时间我不想再听到他的声音了。

"谨慎行事，这不是演习。"

"吱吱吱！"

我循声看去，实验室的一面墙上全是笼子，里面都装着令人作呕的老鼠，正吱吱叫着。具体说，应该是一半的笼子里装着老鼠，另一半的笼子门开着，那些老鼠都去哪儿了？

"如果你发现隐形人，请立即报告所属主管。"

我知道自己必须赶紧逃走，但是又想看看这间实验室里还有什么。一个制作电子游戏的公司里怎么会有一间疯狂科学家的实验室呢？我又看向屋子中间，所有电子设备都摆放在那里。其中最大的一台看上去特别吓人，就像只怪兽一样。上面缠绕着电线、软管和金属块，一直延伸到天花板上。那台电子设备的一边是一块屏幕，另一边放着一把枪——和游戏世界里面的一模一样。

"不要单独和隐形人接触。"

我本打算去看看那把枪，但是屏幕上的画面又吸引了我的注意。我凑近一看，这不是《火力全开》中有沙子怪的那座岛吗！只不过现在金黄的沙子不见了，地面变成了黑灰色的。最奇怪的是，地面还在晃动。

"请带好电子设备，迅速撤离。"

我知道那一半的老鼠都去哪儿了！屏幕上的地面并没有晃动，而是地面上有成千上万只老鼠。它们叠到了一起，挨挨挤挤，想要逃离这座岛。我感到一阵恶心，猛地转身，撞上了后面的桌子。

这时，广播里传来一个男人的声音：*"四区安全。"*

这张桌子上放着一个打开的硬纸盒，看上去有人把大部分东西都带走了，并且走得很着急。

"二区安全！三区安全！"

纸盒里放着一些私人物品。我翻了翻，里面有一个《火力全开》中面具怪的小雕塑、几本漫画书，还有一个相框。等一下，照片中的人我认识。

"检查一区。"

照片中的人站在科技馆中，扶着静电球笑着看我，他的头发全都竖了起来。这不就是我们班的同学查理·格雷戈里嘛！相框下面还有一个姓名牌，上面写着实验室主人的名字，我的猜测也得到了证实。金色的金属姓名牌上赫然刻着"阿利斯泰尔·格雷戈里博士"。

格雷戈里先生就是这个疯狂科学家。

我捡起扔在地上的眼镜，冲着耳机大喊："埃里克，快跑！离开格雷戈里先生！"

"放开我！"埃里克说，"快点儿，停下来……"

耳机里安静了下来。

只听砰的一声，实验室的大门被撞开了。

13
秘密实验

　　四个保安冲了进来，他们都戴着非常有科技感的大眼镜。"他在这儿！"其中一个喊道。他们没有用手机就看到了我，直接朝我跑了过来。一定是眼镜的缘故，他们才能看到我。但是，我来不及去研究这些了，逃命要紧。我故技重施，就像在校车上一样，钻到了实验室的地板下面，或者说是下面那层的天花板上面。我在夹缝中努力向前爬，想要逃离这里。

"很不错，把他们都带来。"天花板下面的房间里有一个人在说话。

我停了下来，头穿过一块天花板向下看去。这是一间很大的会议室，里面放满了椅子，最前方是一个很小的演示台，还有一个超级大的屏幕。屋子里面有几个保安，他们也都戴着那种看上去很高级的眼镜。还有一个大高个，头发油亮，皮肤黝黑。这个人肯定是个大人物，因为他的肖像就挂在墙上。

"我来处理他。"这个人和保安说。这个"他"是谁呢？我不能再往下探头了，不然保安就该看到我了。我想了想，爬向左边，在墙里向下移动了一两米，然后把脸贴向墙面。大概用了几秒钟，我就调整好了位置，这下谁也发现不了我了，因为我让自己的眼睛正好贴在了肖像的眼睛位置。我还没来得及为自己的聪明才智高兴，就开始慌起来。因为保安逮到一个人，这个人还没进屋，声音已经传了过来。

"你们这么做是违法的！"埃里克大喊道，"快放开我！"

违法？他从哪里学的这词？眨眼间，四个保安把埃里克和格雷戈里先生带了进来。埃里克一直在反抗，想要挣脱控制。

"我可没有非法闯入！我在树林里玩呢，这都不行吗?！我要见我的律师！"

"没问题。"那个男人说着把埃里克手中的手机拿了过来，"谁是你的律师？"

见对方同意了自己的要求，埃里克竟一时有点儿反应不过来。他停止反抗，把自己能想到的律师名字说了出来："嗯，是木兰尼和弗林？"

"你说的是损害赔偿律师吧，电视上总是播放他们的劣质广告。"

"木兰尼和弗林一定能赢！"

"你根本就没有律师，不是吗？"

"你凭什么这么说！"

"请吧。"这个头发油亮的男人说，"先坐下。"

埃里克假装要坐，突然又起身逃跑，一个保安把他按到了椅子上。

男人说："欢迎来到超级生物软件公司！我是这家公司的创始人兼董事长，杰弗瑞·德尔菲诺。"

"你对马克·惠特曼做了什么？"

"埃里克，你的名字叫埃里克，对不对？"

埃里克没有理他。

"埃里克，你对朋友的关心让我钦佩。忠诚是一种十分宝贵的品质。"他又冲格雷戈里先生微微点了点头，"你要知道，马克正在帮助我和阿利斯泰尔，他做的事情对我们来说十分重要。"

"胡说八道！"

"你可以自己看看！"杰弗瑞说着走上演示台，手里拿着一把枪。这把枪和我在刚才的实验室里看到的枪一模一样。

"杰弗瑞，"格雷戈里先生低声哀求，"不要啊。"

"阿利斯泰尔，你也不要谦虚了。"杰弗瑞说着转向埃里克，"他肯定没好意思告诉你，他自己的创造有多么伟大。很快，大家就会知道他，他就是当代的爱迪生。快来看看他的发明，整个世界都将因此而改变。"说着，杰弗瑞举起了手中的枪。

埃里克是绝对不会放过近距离观摩高科技发明的机会的（哪怕对方是个十恶不赦的坏蛋）。他听了杰弗瑞的话，就朝着演示台走过去。

"这就对了。"杰弗瑞说，"过来，靠近点儿。"他把枪放到了埃里克手里，埃里克翻来覆去研究着，那小心翼翼的样子就好像这把枪随时可能自动射击一样。

"你手中拿着的等离子枪不仅会改变未来的电子游戏，还会改变整个世界。想象一下，你可以随时去世界上的任何一个地方……"他说着顿了顿，"而且，眨眼间就能到。打个比方，你现在想去哪儿？"

"嗯，我想回家可以吗？"

杰弗瑞笑了："好吧，除了回家，你想去什么地方？斐济？埃菲尔铁塔？还是南极？不一定非得是地球上的某个地方，你想象中的也可以。亚特兰蒂斯？哥谭市？死星？这些都可以！"杰弗瑞说着，开始在演示台上走来走去，他挥动着双手比画着，就好像是在演讲。

"有了这种技术，你就能把任何人放到任何电子游戏里面，什么场景都可以。这可比虚拟现实好太多了。"他在这里停顿了一下以将演讲引入高潮，"这就是新的现实！"

杰弗瑞说完冲着埃里克微笑，等待着他的回应和喝彩。"哦，这确实挺酷的。"听埃里克的语气，他大概是没有听懂眼前这个男人究竟在说什么。

杰弗瑞从口袋里掏出一小罐绿色气体，从埃里克手里拿过枪，又把这个小罐子安装到枪上。"这是等离子体工作气。几个月前，阿利斯泰尔发现可以通过等离子体将活着的生物传送到虚拟世界中。但是，有一个问题——这个项目要花费数百万美元。我们就算再怎么努力，也没有办法生产出足够的等离子枪，满足所有人的需求。

但是呢……"他摆弄着手指接着说，"如果我们不用枪呢？有没有什么东西里面已经有等离子体了，我们可以直接拿来用？而且，这个东西每家都有。"

埃里克明白了他的意思："你是说，电视？"

杰弗瑞笑道："你已经知道答案了。"

"但是，你为什么要用我们做实验？我们并不想进入游戏世界！"

"我也想知道，为什么你要这么做？"格雷戈里先生也说。

杰弗瑞直接忽略了格雷戈里先生的问题，转向埃里克说："你是自愿帮助阿利斯泰尔测试这个游戏的，不是吗？"

"但是，我没同意拿自己当小白鼠做实验啊！我差点儿被困在里面！"

杰弗瑞咧开嘴笑了，他凑到埃里克跟前，说："你能保守这个秘密吗？"

埃里克往后退了两步，就好像是被对方的口臭熏到了一样。

"你在《火力全开》的世界中进进出出了四次。"

埃里克盯着他沉默了一秒，然后又使劲摇头。

"怎么，你不记得了吗？"杰弗瑞又走到演示台上，拿起遥控器，打开了他身后的屏幕。埃里克出现在了屏幕上，正开着直升机在天空中翱翔。

"想起来了没有？"

埃里克坐在那里，一脸茫然。

杰弗瑞又按了一下遥控器，屏幕上的画面换成埃里克踩着滑雪板从山上冲下来，一路上还在轰炸外星人。"这个还记得吗？"埃里克一阵沉默。杰弗瑞和他解释道："如果你遵守游戏规则，而不是破坏游戏规则，离开游戏后你的记忆会被删除。因此，很可能你在游戏世界里玩了很多年，你自己完全不记得。"

"但是，我是按照规则退出的，我也都记得啊，还给杰西发信息了呢！"

"我知道。"杰弗瑞说，"这是系统的一个小漏洞，我们已经修补好了。在全世界测试者的帮助下，我们修补了无数个类似的漏洞。"

他又按了一下遥控器，屏幕分成了好几百个，每个上面都是不同的人在游戏里面打怪兽。有的人和刚才的埃里克一样，满脸兴奋。但是，大多数人看上去都特别害怕。

"那么，马克只是一个测试的玩家，为什么你不让他回来？"

杰弗瑞再次按了一下遥控器，只留下了一个屏幕，上面的人正是马克。他看上去比刚才还要糟糕，缩成一团不停地发抖。

"在测试的过程中，我们一直有一个疑问：如果一个人真的在游戏中去世了，会怎么样？他是真的就这么死了，还是会重生？如果他重生了，是回到游戏中吗？这是不是能让我们永葆青春？根据我们的计算，马克在游戏中的年龄已经有八十多岁了。"杰弗瑞看向屏幕，"你看马克已经快不行了，不是吗？我们马上就能找到答案了。"

埃里克突然紧张起来，他一边朝四周张望，一边问："等等，你为什么要和我说这些？"

杰弗瑞笑道："你总得知道自己接下来要面对什么样的命运吧。"说着，他将等离子枪对准了埃里克。

埃里克想跑，又被保安死死地按到了座位上。

"别动，"杰弗瑞说，"我可不想白白浪费这一枪。"

"埃里克！"我喊着从自己的藏身之处跳下来，径直向他跑去。杰弗瑞调试了几下，枪口对准了埃里克。我挡到了埃里克前面。

嗖！

等离子枪击中了我。

14
海盗！

　　被击中的瞬间，我闭上了眼睛。被击中确实有些刺痛，就像是被软管之类的东西甩到一样，但是对身经百战的我来说，还可以接受。疼痛感消失了，我缓缓睁开眼睛，想着自己一定是被关在了某个电子游戏暗无天日的地牢里。没有！周围的一切还是和刚才一样。我还是在超级生物软件公司的会议室里，旁边就是埃里克、杰弗瑞、格雷戈里先生，还有一堆戴着高科技眼镜的保安。唯一不同的是，所有人都一脸诧异地看着我。

"杰西？"埃里克说，"你回来了。"

"另一个也送上门来了！"杰弗瑞大喊。

一个抓着埃里克的保安马上向我扑来。我没有逃跑，而是滚过去撞他的膝盖。这一举动连我自己都有些吃惊。

"哎哟！"

见他被撞倒了，我赶紧跑向埃里克。另一个抓着埃里克的保安现在也松开他，扑向了我。在这个保安冲过来之前，埃里克想要把他拉住，但他怎么会是一个二百斤的成年人的对手。这个保安没事，埃里克自己反而摔倒了。但是，他这也算得上是一个妙招，因为摔倒了的埃里克把另一个跑过来的保安绊倒了。在倒地的一瞬间，这个保安还想伸手抓住点儿什么保持平衡，于是把跑向我的保安拽倒了。因此，那个二百斤的保安还是败给了埃里克。我们两个就这样，轻松解决了三个成年人。

"快跑！"

我刚向大门跑了两步，就被人抓住了脚。我回头一看，刚才倒在地下的一个保安抓住了我，想把我拽倒。

我使劲踹，想甩开他，但是他用尽全力抱着我的脚，舍不得放开。眼看保安都要站起来了，我冲埃里克大喊："快跑，咱们……"

"啊啊啊啊！"

抓着我的保安大吼着，松开了我的脚。原来是格雷戈里先生紧紧咬着保安的一只手。另一个保安赶紧起来把格雷戈里先生拉开，但是这时候我的脚已经自由了。

"快跑！"格雷戈里先生的喊声从身后传来，"现在去救马克还来得及！"

在格雷戈里先生的奋力掩护下，我和埃里克跌跌撞撞冲到了门口。"咱们要去哪里啊？"埃里克问道，就好像我是活地图，知道该怎么走一样。我来不及解释自己也不知道，带着他随便走进了一个房间。房间里的墙都是绿色的，放着无数块海绵橡胶做的盾牌。我们在房间中穿行，我捡了一根长杆防身，埃里克也拿了一面盾牌和一把弯弯曲曲的海盗刀。

我瞥了他一眼："你这是要和海绵橡胶做的海盗打仗吗？"

"谁知道咱们会碰上什么！"

就在我们要从房间前门出去的时候，保安大部队也从后门破门而入，追了过来。

"停下，不然我们就……"

我们才不管他们说什么呢，一溜烟拐到了走廊里。还是逃命要紧。在这儿等着我们的，是刚才想抓我的大胡子保安。他的左眼上罩着眼罩，胡子和眼罩的组合，简直就是……

"海盗！"埃里克尖叫着。

眼前的海盗掏出一把电光枪，直接射向埃里克。幸运的是，埃里克手持海绵橡胶的盾牌，正好挡住了他的攻击。就在电光射到盾牌的刹那，埃里克突然惊声尖叫——为什么要叫只有他自己知道，一边叫还一边转着圈。这看似愚蠢的举动又是绝佳的一招，因为这么一转，埃里克撞到了大胡子的脑袋，大胡子摇摇晃晃地扔下了电光枪，摔倒了。埃里克见状赶紧扔下盾牌，我们沿着走廊朝楼梯跑去。

眼看就要到楼梯口了，我突然注意到头上正对着我们的监控摄像头。"有这些摄像头在，咱们怎么能跑得了呢？"

埃里克大步赶上来，抢过我手中的长杆，直接朝上面的摄像头戳了过去，动作行云流水。我们一边逃跑一边破坏摄像头。

刺刺刺！

"这下可以了！"

我们跑下两层楼梯，又捅坏了两个摄像头，然后决定穿过楼梯间的门，跑到走廊里去。这里空无一人，我们又用手中的长杆捅坏了一个摄像头，然后找了个房间躲了起来。只不过，这个房间更像是一个狭长的壁橱，里面放满了架子。

"这都是些什么啊？"埃里克打开了灯。架子上堆满了老式的电脑、光秃秃的电路板和各种颜色的电线，电线缠成一团，有的还耷拉到地上。他捡起半个机器人身子看了看，而我开始寻找可以藏身的地方，以防那些坏人追上来。

"咱们去那儿！"我喊道。房顶上少一块天花板，露出来一个大洞，正适合我们钻进去。

"咱们怎么上去呢？"埃里克问，"变成蜘蛛侠吗？"

"用这个就行。"我笑着举起了手中的长杆。

"我还是不明白。"

"看我的。"我说着往后退了几步。倒数了三个数之后，我就像电视上的奥运跳高冠军一样，开始了撑竿跳。那么多个周六下午我都在无聊地看电视，现在想来也算没白看。快跑到房间另一端的时候，我撑起手里的长杆，一跃而起。

要是这根长杆弹性太大，我就会直接撞上墙；要是太硬，我很可能会戳伤自己，最后摔到地上。好在这根长杆既坚固又有弹性，我纵身一跃足足有三米高，朝着天花板上面的洞就飞了过去。腾空而起的同时，我不禁感慨自己真是太幸运了，谁能想到我无意中捡起来的长杆会这么有用。说不定，我们就能逃出去……

咔嚓！

长杆在这个节骨眼折断了！好在我借着惯性，冲到了洞里。但是，埃里克还没上来呢。只见他站在地上拿着断成两截的长杆，问道：

"下一步怎么办啊？"

就在这时，走廊里传来了保安的声音。他们追过来了！

"他们就在这一层！"有人喊着。

埃里克顿时惊慌失措，赶紧朝四处看，想找个东西爬上来。但是，屋子里都是破烂儿，要用旧电脑搭成梯子，怎么也得用半个小时。

砰！砰！砰！

保安们一边检查这层，一边把房门都打开了。埃里克把手中的海盗刀架在门两边的架子上，希望这个小路障能给自己多争取一点儿时间。

砰！砰！砰！

听上去保安们马上就要搜查到这个房间了，埃里克疯狂地翻腾着，希望找到点儿能用的东西。我在房顶上也急得不行，想找找看有没有绳索什么的，好把埃里克拉上来。

砰！砰！砰！

"嘿，杰西！"埃里克冲我小声说。

我朝下看去，只见他拿着一把等离子枪。更准确地说，是半把等离子枪。因为这把枪明显还没有做好，上面耷拉着电线。

"我要不进到《疯狂怪兽》里面试试？"

"不行！"我压低声音，"你不知道那是怎么一回事！"

砰！砰！砰！

咔咔咔！

这帮恶人已经锁定了我们所在的房间，眼看就要冲进来了。

埃里克无奈地摇了摇头，从架子上拿起一个装了等离子体工作气的小罐子，迅速启动了手中的枪。枪体发出噼噼的声音，就像那些老式电脑开机的时候一样。埃里克把罐子安装好后，又把手机扔了过来。

"你这是要干什么？"

"我也不知道，试试吧。"

咔咔咔！

埃里克说着又开始摆弄手里的枪，他按了几次按钮，这把枪开始发光。

"等等！埃里克！"

但是，他没有听我的话，而是把枪对准自己的胸口，紧紧闭上双眼，然后扣动了扳机。

15
特种部队

"埃里克！"

我赶紧用他的手机打开《疯狂怪兽》，通过摄像头检查着这间屋子。什么都没有。

"埃里克！"

紧接着，什么东西闪过，就在埃里克刚才的位置，有根大拇指竖在半空中。慢慢地，埃里克出现在屏幕上。

"真是太棒了！"这是埃里克出现后说的第一句话，"我隐形了，是吗？天哪，我肯定能抓住好多的……"

咔咔咔咔咔——砰！

保安们蜂拥而入，我赶紧爬到离天花板稍远的地方，埃里克也躲到了墙里。

"我能穿过墙了！"埃里克的声音从手机里传来，"这真是太棒……"我赶紧关闭游戏页面，免得让保安听见找到我。

"他们去哪儿了？"一个保安问。

"看这个。"这是另一个保安的声音。他似乎从地上捡起了某样金属做的东西，直接冲对讲机说道："他们变成隐形人了。封锁大楼，派遣特种部队。"然后，我就听到了保安们离开的脚步声。

过了几秒钟，我才凑到天花板上的洞口，朝屋子里看去。果真一个人也没有，他们都走了。我赶紧掏出手机，打开游戏。"埃里克？埃里克？"

埃里克突然从地板上露出头来。"哈哈哈，这也太酷了！我还在了解自己的超能力，你看！"埃里克想不用手表演个倒立，但是却晃来晃去，没坚持几秒就摔倒了。

他又解释说："我还在练习，不过……"

"埃里克！"

"怎么了？"

"特种部队是什么？"

"我怎么知道啊？"

"咱们得赶快离开这儿，他们派特种部队来抓咱们了，不是吗？"

"好吧，听你的。"埃里克心不在焉地回答着，还在对着墙练习空手道的招式。突然间，一个毛球出现在埃里克脚边，和出现在我家门口那种喜欢鞋带的家伙一样。

砰！

埃里克顺势将毛球踢到了墙里。紧接着，天花板上又掉下来一个毛球，正好砸到他的脑袋。然后，又来了一个毛球，照着他的腿咬了一口。

"啊啊啊！"

五个攒在一起的毛球出现在埃里克眼前，它们露出獠牙，愤怒地叫着。

"这就是特种部队！"埃里克尖叫着，又有两个毛球咬住了他的腿。

"我们该怎么办？"

"给我升级！"

"怎么升级啊？"

"你看看！"埃里克叫喊着，拼命撕扯腿上的毛球。

我在屏幕上划来划去，终于找到了升级的页面："应该选择哪些项目啊？"

"所有的都升级！"

我划到页面下面，把能选的都选了。不到五秒，那个保安的一百美元又没了。我抬起头："可以了吗？"

只见埃里克越来越大，发出绿光，像一个绿色的球。他的身体长高了足足一倍，而他的手还在变大，就像一个懒人沙发。

"太棒了！浩克冲击！"埃里克的声音都变得粗哑了许多。只见他挥舞拳头，一拳一拳砸向这些毛球。"呜——呼——！"他挥舞着沙发一样大的拳头，这感觉就像看七年级的学生和三年级的学生进行足球比赛，后者完全被碾压。尽管埃里克欢呼着战斗，但我还是发现了问题——他一个人根本无法应付这么多毛球。似乎每次消灭一个毛球，就会冒出三个毛球。

"埃里克，它们太多了！"

埃里克冲着地面就是一拳，整个房间开始震动，一圈圈的震波如涟漪一般出现在房间里。瞬间，毛球都消失了。

"怎么样，还是我厉害吧！"埃里克说。但是，就这么个工夫，房顶上又掉下来十几个毛球。

"它们出现得太快了！"

埃里克继续挥拳砸地，我却发现他身上的绿光变暗了，于是赶紧查看手机，发现他的能量仅剩 25%。

"快给我恢复能量！"埃里克大喊。

我赶紧找到"能量恢复"的按钮。这一点，十美元又没了。埃里克全身又亮了起来，挥拳也更有力了。但是，毛球大军的出现速度惊人，他自己也力不从心，不得不调整策略。

"哎哟！哎哟！不行，我得赶紧离开这儿！"埃里克说着就往地板里钻。

"那我怎么办？"

"你跟上，随时准备好帮我升级！"

"但是我没隐形啊，钻不到地板里！"

毛球已经爬满了埃里克的全身。"哎哟！快停下来！"他边喊边跑到了走廊里。

摆在我面前的有两个选择：眼睁睁地看着我最好的朋友独自面对特种部队，让这些致命的小毛球吃了他；或者跟他跑出去，等着保安冲我射击。我选择后者。"等等我！"我一边喊着一边开始在天花板上面爬。

爬到门口的时候，我卸下了一片天花板。下面的门大开着，真是太好了！我打算抓住门的上沿，踩着门把手往下跳，这样我就不至于把脚扭伤了。我把埃里克的手机装到口袋里。深呼吸，一、二、跳！不幸的是，我完全没碰上门，而是直接摔到了地上，脚踝还扭伤了。

"啊！"我疼得在地上打滚，努力控制自己的音量。这要是让那帮保安听见，我就完了。幸运的是，走廊里一个人也没有。我呻吟着一瘸一拐向外走去。"埃里克，这个计划真是糟透了。"我一边掏手机，一边抱怨着。

天哪！手机屏幕碎成了蜘蛛网，看样子刚才我在跳下来的时候一定是手机先着地的。我点着屏幕，好在还有三分之一的地方能看清楚。很快，我就找到了埃里克，只见长长的毛球大军正在走廊上追着他跑。我拖着扭伤的脚踝，一瘸一拐地走向埃里克，同时按住了升级按钮。

呼！嘣！

埃里克冲着地面就是一拳，整个走廊里的毛球都消失在震波里。"快跑！"埃里克喊。但是，还没等我迈步，毛球大军又开始了新一轮攻击。如果不是因为我受了伤，又疼又怕，我一定会发现有哪里不对劲。这些毛球只出现在埃里克后面，不会出现在他前面。

我们逃到楼梯口，开始往下跑。到了一楼，埃里克打开楼梯间的门朝走廊跑去。但是，刚过去他就跑回来了，大喊："别停，接着跑！"

我将手机对准门上的窗户，看到走廊里挤满了毛球。没办法，我们只能又往上爬。第二层也挤满了毛球。直到第四层，我才终于找到一条没有被毛球攻占的走廊。"这边走！"埃里克激动地大喊。

"等一下。"我停下来给埃里克升了一次级。

"你不觉得有点儿奇怪吗？怎么一个保安也没有？"我问，"他们能在监控上能看到我，不是吗？"

埃里克耸了耸肩："可能保安室里没人吧，所有人都在追捕咱们。"突然间，无数个毛球像雨点一样从房顶落了下来。"快跑！"

我低着头跟在埃里克后面，感觉哪里不对劲。但是，我来不及思考，因为走廊上又出现了一大堆毛球，它们筑成了一道墙，挡住了我们的去路。

"啊啊啊！"埃里克尖叫着躲到了离他最近的一个房间里。我跟着他走进了这个房间。从迈进去的那一刹那，我就发现了问题。

砰！

门自动关上了。房间里一片漆黑，只能听到吱吱吱的叫声。啊，不要！我知道这是哪里，这些叫声太熟悉了！就在这时，屋子里的灯一盏接一盏地亮了起来，我眼前又出现了那一排排的老鼠笼。我们回到了格雷戈里先生的实验室！

"先生们，我们又见面了。"

只见一个人在椅子上坐着，双手放在大腿上，脸上挂着平静的笑容，又是杰弗瑞·德尔菲诺。

16
黑匣子

埃里克赶紧转身，想跑出去。

砰！

埃里克撞到了门上。他又想穿墙逃跑，但还是被弹回来了。

"真不好意思，我们封锁了这里。"杰弗瑞说。

埃里克慌张地打着转，杰弗瑞呢，正透过那种高科技眼镜，冲他挥手呢。"《疯狂怪兽》蓝牙护目镜，仅需一百美元。即将上市，接受预订。"

我朝四周看去，杰弗瑞对格雷戈里先生的办公室进行了一点儿改造。比如说，他在屋子正中间给自己加了一把旋转椅，还有一个差不多两米来高的黑色长方形盒子，看上去就像电影里的超级电脑，上面布满了各种开关、按钮和警示灯。实验室的主人也回来了，他坐在自己的办公桌前，对着笔记本电脑，表情看上去糟透了。

"你们来得正好。"杰弗瑞说。

"什么？"

"我们的谜题即将揭晓答案！"杰弗瑞说着掏出手机，点了几下屏幕。

"马克？"埃里克大喊。

杰弗瑞点了点头。

"他就快不行了。"说着，他把手机屏幕转向我们。

马克正在消失。并不是他的身体出现了问题，而是他在屏幕上变得越来越模糊。每过一秒钟，他都似乎变得更模糊。

杰弗瑞笑着问道："怎么样？是不是太神奇了？"

"马克在哪儿？"埃里克喊着冲杰弗瑞挥了一拳。当然了，这拳头根本打不到他身上，因为埃里克隐形了。"马克在哪儿？"

杰弗瑞坏笑着说："真有意思，你以为你能救他出来吗？这孩子真是太可爱了，是不是，阿利斯泰尔？"

他转向身后的格雷戈里先生："是你亲自告诉他们，还是我来说？"格雷戈里先生看向一旁。

"告诉我们什么？"埃里克问。

"我也不想这么唐突。但是，你是救不了马克的。"

我已经受够了杰弗瑞。"你撒谎！"我大声喊道，"格雷戈里先生说过……"

"格雷戈里先生说过什么？他有没有告诉你到底要怎么把马克救出来？"

"这个，他……"

"马克被关在黑匣子里了。"杰弗瑞拍了拍那个黑色的长方形盒子，"这些黑匣子是花了上百万美元打造出来的，什么数据都不会丢。没有什么能从黑匣子里逃出来。关于这一点，我想你早就知道了。"

我想起马克也这么说过。

"阿利斯泰尔把你们带过来，可不是为了救马克。马克是绝对不可能出来的。是我让他把你们带过来的。"

格雷戈里先生还是看向一旁。

"超级生物软件公司拥有改变世界的新科技，但是你们两个却知道了我们的秘密，还从游戏世界里面逃了出来。我们不能因为你俩就功亏一篑，明白吗？我告诉阿利斯泰尔，如果他不把你们关到黑匣子里，我就把他的儿子关进去。他消失的那段时间，我还真挺担心他会做什么傻事，不过今天他带着你们两个人回来了！"他说着转向格雷戈里先生，"我不应该怀疑你的，阿利斯泰尔。"

这一切让人难以置信。我看向格雷戈里先生，希望他告诉我这一切都不是真的。但是，他仍然看向一旁，似乎想要说什么，却没法说出口。杰弗瑞拍了拍我的肩膀："你一时很难接受，我明白。这不是你的错。"

我盯着格雷戈里先生，他似乎并不是刻意回避我的目光，而是他真的一直看向同一个地方。

"启动机器，阿利斯泰尔。"

格雷戈里先生到底在看什么呢？我循着他的目光看

去，他正盯着杰弗瑞身后的电脑屏幕。屏幕上还是我之前看到的那些——一座都是老鼠的荒岛。但是，老鼠们不再挤在一起，而是几个一群，像是在摆什么图形。我又盯着屏幕看了几秒，这不是什么图形！是字！只见一排一排的老鼠组成了几个大字：

埃里克伸手进来。

17
游戏终结

　　"埃里克伸手进来？"这是什么意思啊？

　　趁着杰弗瑞往枪上安装等离子体气罐时，我打开手机，锁定埃里克的位置，方便与他交流。我示意埃里克看向屏幕，但他好像不明白我的意思。我又朝屏幕方向歪脑袋，他佯装明白地点了点头。但是，我估计埃里克还是一头雾水。

"看屏幕。"我用唇语和他说。

埃里克看看我，看看屏幕，又看看我，突然间明白了我的意思。我耸耸肩，看了看格雷戈里先生，他的眼睛终于从屏幕上移开，轻轻地点了点头。

"可以了，阿利斯泰尔，我都准备好了。"杰弗瑞把等离子枪和黑匣子连到了一起，"启动软件吧。"

他又看向了我："离开之前，有没有什么想和你的爸爸妈妈说？"

"我想说'试一下吧'。"我看向了埃里克，示意他开始行动。

"试一下吧？"杰弗瑞歪着脑袋不解地问，"试着去找你，是吗？嗯，要是我，可不会选择这个做最后的告别语。当然了，这是你的选择。"

嗡嗡嗡!

杰弗瑞将等离子枪对准了我。

"埃里克!"我大喊，"现在!"

反正都这样了，只能背水一战。埃里克冲向了电脑屏幕。杰弗瑞笑出声来。

"你被困在这间屋子里了。"他说，"随便你……"

他的话还没说完，埃里克的手就伸进了电脑屏幕里。奇怪的是，他的手并没有穿过电脑，而是直接进入屏幕上的游戏世界。刹那间，小岛上空出现了一大片阴影。

"我的天哪！"埃里克喊道。

"你是怎么做到的？"杰弗瑞说着，赶紧改变射击目标，把枪指向了埃里克。

"把手放到下面去！"格雷戈里先生指挥着。

埃里克听从了格雷戈里先生的话。屏幕上也出现了一只巨大的手，直接放在了那群乱叫的老鼠上。"太恶心了！"埃里克说着，把手缩了回来。跟着他的手出来的，还有好几千只老鼠。

"这是怎么回事？"杰弗瑞喊着，一步步往后退。

格雷戈里先生轻轻吹了一声口哨，把手指向了杰弗瑞。一大群老鼠同时转向了超级生物软件公司的董事长。

"啊啊啊啊！"杰弗瑞想逃跑。但是，他还没跑出去两步，就被这群老鼠盖住了。慌乱中，他手中的等离子枪也掉到了地上。"别咬我！"

一看枪掉到了地上，格雷戈里先生立刻起身冲了过去。他一把捡起枪，对着杰弗瑞扣动了扳机。

砰！

随着一声枪响，杰弗瑞和所有老鼠都消失了。黑匣子上的一个屏幕亮了起来，上面是杰弗瑞在疯狂逃命，后面跟着老鼠大军。就在几秒钟之内，一切都结束了。我张大了嘴巴，还没有缓过神来。

"赶快到地下室去。"格雷戈里先生跑过去拿他的笔记本电脑，"咱们的时间不多了。"

"刚才那是……"埃里克还呆呆地站在屏幕前，看上去几乎要窒息了。他想再伸手试试，手却撞到了屏幕上。埃里克拍了拍自己的身体："难道我……"

"是的，你回到现实中了。"格雷戈里先生说着，来不及抬头看他一眼。

"但是，我不明白，这是怎么回事？"

格雷戈里先生疯狂地敲着键盘，说道："昨天，我无意中发现进入某个游戏世界的人，可以把屏幕当作传送门，进入其他游戏世界中。但是，传送门是单向的。因此，如果你的身体只进去一半，然后又出来，一切就会被打乱，游戏中的动物或人也会跟着跑到现实世界中来。理论上讲，这是拯救马克的最好方法。"

"理论上讲？"我问。

"是的，只是在理论上。而且从理论上讲，全息图也能起到和屏幕一样的作用，所以刚才我才着急让你从控制室出去。"

"所以，你没有想过要把我们关到黑匣子里？"埃里克问。

格雷戈里先生摇着头说："我不知道超级生物软件公司居然在公众都不知情的情况下，用无辜的孩子做实验。我发现这个问题后，觉得自己有责任解决，付出一切也在所不惜。"

我低头往地上看，杰弗瑞的手机就在我脚边。我捡起来打开。天哪！"格雷戈里先生？"

格雷戈里先生没有听到我说话，只听他说："我负责拖住保安，咱们这就出发！"

"格雷戈里先生？"

"解除门禁、打开门、关闭摄像头……"

"格雷戈里先生，你得看看这个。"

"现在我得再次把你们放到《疯狂怪兽》的游戏里，这样才能顺利潜入地下室……"

"格雷戈里先生！"我哭着说。

他终于听见我的哭声，把头扭了过来。我把杰弗瑞的手机递给格雷戈里先生，上面本该有马克的身影。但是，现在却一片漆黑。"马克已经离开了。"

18
真枪实战

"现在必须赶快过去。"格雷戈里先生说。

埃里克既伤心又困惑:"但是,马克已经……"

"可能是,也可能不是。"格雷戈里先生打断他。他在屋里翻来翻去,找到了两把等离子枪,把它们设置好。然后,他又抱来一堆发着光的绿色罐子。"拿着。"他把枪和罐子分发给我和埃里克,"要是碰到了保安,就直接开枪，把他们打到黑匣子里去。"

"这不就是真实版的电子游戏吗！"埃里克说着，掩饰不住内心的激动。

"不一样的是，我们要是出事，可就不能像游戏角色那样活过来了。"我紧接着说。

格雷戈里先生背上笔记本电脑，也拿起一把等离子枪。"好了，千万小心！"说着，他就开门走了出去。我们正好撞上守在外面的两个保安。

"天哪！"其中一个惊呼着，四处找自己的枪。

砰！

埃里克冲他就是一枪。

另一个保安见状赶紧拿起对讲机，顺势滚到了一边想要找个掩体。

砰！

我没打中。

"四层需要支援。"他说，"那两个……"

砰！

格雷戈里先生解决了这个麻烦。"咱们走！"他大喊道。

我们朝着走廊另一头的楼梯跑去。"咱们为什么不坐电梯啊？"逃到楼梯口时，埃里克气喘吁吁地问。格雷戈里先生摇了摇头，伸手要推楼梯间的门。他透过门上的窗户瞟了楼梯间一眼，立刻又改变了主意。

"还是坐电梯吧。"格雷戈里先生说着，把门从外面锁上了。我透过窗户朝里面看了看，只见五个保安正朝我们这儿跑过来。我们赶紧掉头，跑到电梯前疯狂地按按键，想让电梯快点儿来。

砰！砰！

电梯快到的时候，保安们正在楼梯间里用身体撞门。

叮咚！

我们进入电梯，按了最下面的"B3"按键，然后赶紧按关门键。

咔咔咔咔咔。

电梯门怎么也关不上了。"电梯门怎么关不上啊！"我喊道。

咔咔咔咔咔，砰！

电梯门刚要关上，保安们已经撞开楼梯间的门冲了过来。其中一个对着我们这边就是一枪。

嗖！

子弹从我和埃里克之间穿过，打到我们身后的电梯轿厢壁板上。在其他人开火之前，门终于关上了。但是，我们却没时间放松，电梯刚下了两层——叮咚！

门开了，两个全身武装的保安正等着我们呢。

嗖！嗖！

我们直接把他俩送到了黑匣子里。距离我们的目标就差一层，眼看电梯门要关了——

叮咚。

门又开了。

"格雷戈里先生，你能控制一下电梯吗？"我问。

"这个嘛，"格雷戈里先生掏出了笔记本电脑，"我可以试试……"

叮咚。

电梯门又开了，我们这次都贴墙躲到了一边，好使跑过来的三个保安看不到我们。

砰！

埃里克打倒了一个。

砰！

格雷戈里先生也射中了一个。

砰！

我没打中，又浪费了一发子弹。

"你跑不了了！"这个保安喊着，他就是之前那个大胡子。经历了刚才的电光枪事件，现在他不光一只眼睛罩着眼罩，整个脑袋上都缠着绷带。很明显，他从自己的失败里总结了经验教训，这回特意没有带电光枪，而是直接给手枪上了膛。

咔嚓！

来不及安装气罐，格雷戈里先生举起等离子枪朝着大胡子就砸了过去。只见大胡子往后退了几步，脑袋又撞到了电梯上，直接昏倒在电梯里。

"好了。"格雷戈里先生平静地拿出电脑，似乎没有受到一点儿影响，"看看我们能不能修理一下这部电梯。"

他一通操作，电梯发出一阵报警声。"这回应该差不多了。"确实，正如格雷戈里先生所说，电梯顺利关上了门，带着我们到了地下三层。

"咱们快去救马克吧！"埃里克喊。

"等等！"格雷戈里先生说，"我先检查一下。"他又对着笔记本电脑敲打了一会儿，然后叹了口气，把屏幕转向我们。电脑连接到了地下三层的监控设备，我们清楚地看到，那里的走廊里都埋伏着保安。"他们肯定是猜到我们要去那里了。"

"咱们把他们都送走不就可以了？"埃里克问。

格雷戈里先生看了看仅剩的三个气罐，回答道："不可能。"

"那咱们都进到《疯狂怪兽》里，偷偷溜进去，怎么样？"

格雷戈里先生指了指屏幕上的保安，很多保安都带着那种特制的护目镜。"也不可能，并且他们既然全体出动，肯定也派出特种部队了。正面交锋的话咱们坚持不了两秒。"

"那么，我们可以，嗯，试着……"埃里克努力想着。

我看向四周，小小的电梯成了关住我们的黑匣子。格雷戈里先生绝望地抱住脑袋。埃里克想试着爬到电梯顶上去看看。更糟的是，电梯里还有个像海盗的保安，他随时可能醒过来。我盯着这个大胡子，突然有了办法！说不定我们去地下三层就有机会逃出去了！

19
改造中央处理器

十分钟后，电梯到了地下三层。

"我觉得这个计划有点儿悬。"埃里克小声说。

就是刚才，我想到了自己之前的经历。并不需要我们三个人一起穿越保安的防线，不是吗？如果只有一个人过去，是不是也可以？我把自己的计划告诉了格雷戈里先生和埃里克。那就是让我和埃里克进入游戏世界，然后格雷戈里先生再穿上大胡子的衣服，假装是保安。这样我们就能去救马克了。

商量好后我们就忙活起来。先帮格雷戈里先生穿上大胡子保安的制服、戴上那种高科技眼镜，再用绷带把他那豪猪刺一般的头发都缠在里面。这样不仔细看，谁也看不出这个人是谁。一番装扮后，格雷戈里先生深吸一口气，定了定神，一枪送走了躺在地上的大胡子，又用仅剩的两个气罐把我和埃里克送到了《疯狂怪兽》的世界里。没用多久，我们就被他收入囊中，成了他的"怪兽"。做好这一切，格雷戈里先生打开了电梯门。

叮咚！

听着格雷戈里先生咚咚咚的脚步声，我和埃里克的心也提到了嗓子眼里。终于，他停了下来。

"谁也不能进这个房间。"一个声音说。

"是吗？"这是格雷戈里先生的声音，能听出来，他努力想让自己显得凶一些。

"是的。"

接下来，格雷戈里先生说出的话，是我这辈子听过的最没有逻辑的话了。"要是都不能进去，谁来改造中央

处理器呢？谁来给触觉系统做语法分析？难道二磷酸腺
苷神经线阵列会自己生成吗？"

"长官，请你……"

"难道你能给动态主机配置协议的矩阵编码吗？"

"您听我解释……"保安想要把话说完，却没有机会。

"要不要我回去告诉杰弗瑞·德尔菲诺，也就是给你
发工资的老板，他的服务器农场^①今天不能编入索引，
就因为你们这帮人在这儿动嘴皮子？你自己和他汇报去
吧！"说着，格雷戈里先生掏出了手机，把躲在里面的
我和埃里克都给弄倒了。

"他这是要干什么啊？"埃里克问。

我们躲在手机里，不知道这个保安会有什么反应。

"不用不用。"他琢磨了一会儿，"你请进。"

只听哗啦一声，门打开了，随即而来的就是很吵的
嗡嗡声。又过了一会儿，咔嗒，这应该是门反锁的声音。
我们顺利进去了，格雷戈里先生将我和埃里克传送出来。

"我的天哪！"我刚站到地上，就忍不住惊呼，房间里

---

① 服务器农场是电脑服务器的一个集合。——译者注

的一切超乎我的想象。

"天哪！天哪！"埃里克也跟着说。

这是我们见过的最大的房间了。房间里放着很多黑匣子，和格雷戈里先生办公室里的那个一样。只不过，这里有无数个黑匣子在地平线上延伸到远方。没错，这个房间里居然有地平线，就像无尽的海洋！这里还特别冷——地面腾起一阵寒雾。"马克在哪儿？"我打着哆嗦问道。

格雷戈里先生正在打电话。"未来路 115 号。"他对着手机说，"他们挟持了许多孩子，关在地下室里当人质。是的，就是这个电子游戏公司。是真的！"

格雷戈里先生说完放下了手机："警察马上就来。"

"等等，咱们是不是一开始就应该报警啊？"埃里克问。

"不可以，万一超级生物软件公司把这个房间的电源切断了，就麻烦了。"格雷戈里先生回答。

"好的，那马克在哪里呢？"我问，"还有，你知道他已经不见了，对吗？"

格雷戈里先生拿出笔记本电脑，开始往前走。"这个我们一会儿再说。"我们跟在他的后面，一言不发。大约走了一个足球场那么远的距离，格雷戈里先生在一个黑匣子前突然停了下来，它看上去并没有什么特别之处。

"就是这里了。"他说。

格雷戈里先生用电线把笔记本电脑和黑匣子连到了一起，又开始敲击键盘。黑匣子上面的灯开始闪烁，另一侧的屏幕亮起来了。"快去看看。"格雷戈里先生示意我们。

我把头伸到屏幕里面。"马克？"回应我的只有黑暗和沉默。

格雷戈里先生又操作了一番："再去试试。"

"马克？你能听到我说话吗？"我又往里伸了伸脑袋。

"马克！"黑暗中响起了我的回声。

格雷戈里先生又开始调试电脑。"我现在要把电脑时间往回拨，这可能会引发一些问题，得特别小心。"黑匣子发出了轰隆隆的声音。

我用手扶住黑匣子，想把头使劲往屏幕里面伸。但是，我的手很快又缩了回来，黑匣子突然变得特别烫。

"快点儿！"格雷戈里先生大喊，"系统很不稳定！"

"马克！马克！"

就像是把脸凑到了燃烧的篝火前，我感觉自己就要烧着了。但是，我不能放弃，我必须坚持。"马克！"这时，我感觉我面前有什么东西。不一定是人，可能只是一缕微弱的光。"马马马克克克！"我的话变得断断续续，就好像打电话没信号了一样。

"杰西！杰杰杰西西西……"格雷戈里先生似乎在后面冲我喊着什么，但是这一切都太模糊了，我根本听不清楚。刚才那一缕光突然幻化成了——一根手指？不对，两根！三根！几秒钟之后，我的眼前出现了一只手，一只布满皱纹的手。我努力把手伸了过去。

与此同时，我的身体也被黑匣子吸了进去。

20
连锁反应

　　我在黑暗中向下坠落，就像跳伞一样。而马克的手就在我眼前十几厘米远的地方。我想伸手去抓，却感觉天旋地转。无尽的黑暗和下坠让我惊恐万分，我开始尖叫。

　　突然，我头朝下，停在了半空中，一只手抓住了我的脚，让我不再往下坠——是我的好朋友埃里克。他的脸已经变了形，鼻子和嘴巴来回变换着位置。我转过身去抓马克的手，他的手正在逐渐消失。"再往前一点儿！"
我使劲喊着，希望埃里克能听到。可惜我的话一出口，
就变成了"昂哪嘟个当！"。

大概是埃里克明白了我的意思，或者他抓不住我了，
总之，我又前进了一些，距离马克的手更近了。当我和
马克的手触碰在一起的那一刹那，一股热浪席卷了我全
身，我用尽力气紧紧抓住他的手。

"路啊！"我喊着（其实是想说"拉！"）。

我们往上动了动。"是既路啊！"（"使劲拉！"）

我感觉抓在我脚上的力变小了，与此同时，马克的手正在快速消失。我的手一滑，只抓住了马克的一根手指。眼看他就要撑不住了，我使劲攥住这根手指，这辈子我从没这么使劲地攥过什么东西。与此同时，我感觉自己滚到了屏幕外面。

砰！我摔到地上，惊魂未定。黑匣子上的红灯不停地闪着，上面的风扇也开始飞速旋转，就像要发射到外太空去一样。

格雷戈里先生冲了过来。"马克？"他扔掉眼镜，"是你吗？"

我扭过头去，马克就在我旁边，一根手指头也不少，一丝皱纹也没有。

"这……这是怎么回事？"他问。

"你回来了！"我激动地喊着。

马克看向整个房间的黑匣子和骇人的迷雾。也许这场景对他来说比游戏世界还要奇怪，还要陌生。"回哪儿了？"他问着，站了起来。

"天哪！"马克说着动了动腿，"我的膝盖不咔咔响了，为什么啊，我的膝盖没事了！"

"因为你又回到十岁了啊！"埃里克欢呼着。

"什么叫'你又回到十岁了'？"马克说着又跌坐到地上，"你是说……"他开始抽泣，声音也跟着颤抖。

格雷戈里先生掏出手机，给马克拍了一张照片。马克盯着自己的照片看了一会儿，又摸了摸脸。"我又十岁了。"他自言自语道，"我还是十岁！"

马克又站了起来，他踢踢腿、伸伸腰，手舞足蹈起来。"我还是十岁！"他开始绕着黑匣子跳舞，然后一下跳到埃里克背上。"我十岁！我十岁！我十岁！"

这一跳直接把埃里克扑到了地上，他实在不会背人。

"真不敢相信你们能回来救我！"马克说。

"这都是格雷戈里先生的功劳。"我说。

"对了，我成了无敌浩克，杰西成了艾莎公主，还遇到了好多毛球怪兽。你快看看我们的等离子枪！"埃里克兴奋地喊道。

马克笑着点了点头，尽管他一个字也没听明白。突然，他的眼里泛起了泪花。"我的爸爸妈妈在哪儿？"马克问。

格雷戈里先生把手搭到马克肩膀上："你准备好去见

他们了吗？"

马克紧紧抱住了格雷戈里先生。

这时候，走廊里传来一阵吵闹声。"肯定是警察来了！"埃里克喊。

说着，他带领大家朝门口走去。"你以后还玩电子游戏吗？"我一边走，一边问马克。

"绝对不玩了！"马克大声说，"你们呢？"

"我只玩手机游戏。"埃里克说。

马克用奇怪的眼神看了他一眼："这不和电子游戏一样吗？"埃里克还没来得及回答，一个黑匣子突然发出一声巨响，打断了他的话。

"格雷戈里先生？"我急忙转身。

黑匣子的声音越来越大。

"为什么会这样？"

那个黑匣子上的灯都变成了红色的。

"应该没事。"格雷戈里先生说，"系统有点儿不太稳定，只要没有……"

他的话说到一半，突然停住了。这时，我们旁边的黑匣子也亮起了红灯。

"不！这下糟了！"

"怎么糟了？"

格雷戈里先生赶紧跑向他的笔记本电脑。我们旁边的黑匣子突然也发出很大的声音，紧接着屏幕也亮了起来，什么东西从里面滚了出来。是一个小孩！

我们惊得合不上嘴，只见这个孩子动了动，问道："我多大了？我多大了？"

我们面面相觑，还没来得及回答，又有两个黑匣子亮起了红灯。

"格雷戈里先生，这是怎么了？"

这两个黑匣子也开始发出很大的声音。

"咱们触发了连锁反应。"他的目光始终没有离开笔记本电脑的屏幕。

两个孩子从黑匣子中跳了出来。紧接着，另外四个黑匣子也亮起了红灯。

"这没事，对吧？"埃里克问。

旁边又有八个黑匣子发出很大的声音，这声音让我的胸腔都跟着震动了起来。

格雷戈里先生抬起头，脸色苍白。"这就是说，超级生物软件公司开发的游戏中的所有东西，都会从黑匣子里出来。"他说。

格雷戈里先生身后的黑匣子里出来了一个什么东西。是个很大的东西。

"所有东西？"我问，"什么叫所有东西？"

咔*!*

眼前出现的这个东西给了我答案。与之相比，刚才的保安和毛球简直太小儿科了。闯进这家公司已经够不容易了，现在，我都不敢想怎么才能逃出去。

埃里克问："这个不会是……"

没错，就是！站在我们眼前的，是一个像大螳螂一样的两米高的外星人。它定神看了我们一会儿，后腿一蹬跳了起来。与此同时，又来了它的七个同伴。

"吱嘎嘎嘎！"

探索无限

　　要想自己设计一款电子游戏，你还要学会写算法。"算法"听上去高深莫测，似乎只有那些搞研究的科学家才能搞明白！实际上，算法并没有那么难以理解。

　　简单来说，算法是向电脑发出的一系列清晰指令。你教机器人买东西就是在写算法。

　　写算法的诀窍在于，时刻谨记电脑没那么聪明，有的时候它甚至有点儿愚笨。

　　很多人在刚开始学写算法时，都会犯一个错误——以为电脑什么都懂。其实，电脑对没有说明的内容一无所知。

　　就拿教机器人买东西来说，只是列出要买的东西，可不是好算法。要想让机器人完成任务，就要将购物的整个过程事无巨细地写出来，包括怎么启动汽车、设定汽车行驶路线、去哪个超市采购、如何找到清单上的每件商品，甚至如何结账都要讲清楚。

　　接下来，你可以通过绘制图画，简要了解怎么写算法。在第一部分中，请你根据步骤，试着绘制一只倒挂喷火兽；第二部分则需要你写出绘制绒绒珠的具体步骤。你也可以让朋友试试，看能否根据你写的步骤画出绒绒珠。

倒挂喷火兽

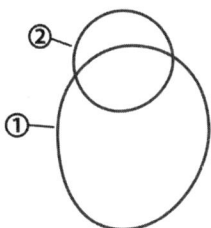

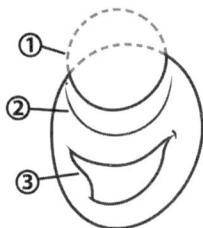

第一步

① 画一个大椭圆形，作为倒挂喷火兽的身体。

② 在大椭圆形上部画一个小椭圆形，并使它们部分重叠在一起。

第二步

① 把两个椭圆形上部多余的线条擦掉，两侧凸出来的尖角就是倒挂喷火兽的耳朵。

② 在表示耳朵的弧线下面再画一条类似的弧线，让图画更有层次感。

③ 再在大椭圆形下部画出嘴巴。

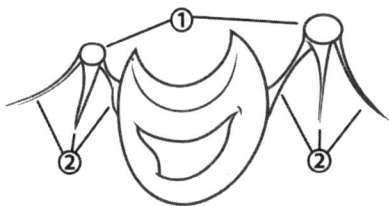

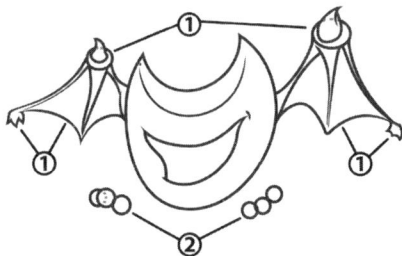

第三步

① 在倒挂喷火兽的身体两侧各画一个小一点儿的椭圆形。

② 在小椭圆形下方，从外向内画两组末端相交的线，再画一组接近平行的线，翅膀就差不多画好了。

第四步

① 将三组线的末端用线连接起来，在翅尖画出爪子。

② 在倒挂喷火兽身体下方左右各画三个小圆形，作为它的脚趾。

第五步

① 分别在三个小圆形上加上一条腿
　　和三个爪子。

第六步

① 画出嘴里的尖牙。
② 画出嘴下的胡子。

第七步

① 绘制出身体上的绒毛。

第八步

① 擦掉大椭圆形下部的线条。

绒绒珠

现在，轮到你来写绘画步骤啦！

1. 将每个步骤写下来，尽可能写得详细一些。
2. 让你的朋友看看你写下的步骤，但是不能让他看到已有的图案。
3. 让你的朋友根据文字步骤，绘制绒绒珠。
4. 把他的作品和已有的图案进行对比，看两张画像不像？思考下一次写步骤时，有哪些需要改进的地方。

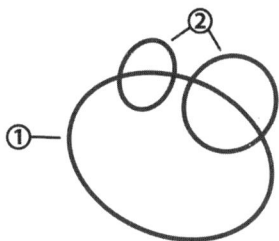

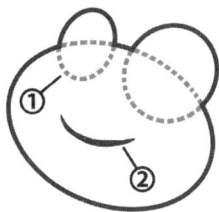

第一步

① _____

_____

② _____

_____

第二步

① _____

_____

② _____

_____

第三步

① _____

_____

_____

第四步

① _____

_____

② _____

_____

_____

第五步

① _____

_____

_____